Osez
l'anglais
OFF

l'anglais, le vrai...

Berlitz Publishing
Paris • Munich • New York • Singapour

Berlitz Osez l'anglais OFF

Publié en France en 2007 par Blay Foldex / Berlitz
40-48, rue des Meuniers
F-93108 MONTREUIL Cedex
Téléphone : 33 (0) 1 49 88 92 10
Fax : 33 (0) 1 49 88 92 09

Traduction/Lecture
Garrett White, Birgitt Nardi

Illustrations
Kyle Webster

Pour l'édition originale
Texte original : Claire Bell, Emily Bernath
Rédaction/Traduction : Eva Betz
Illustrations : Kyle Webster

Sommaire

Mode d'emploi

Envie d'aller au-delà de l'anglais appris à l'école et de parler enfin comme un véritable britannique ou un authentique américain ?

Ici, pas de règles de grammaire à apprendre, pas d'exercices ni de tables de conjugaison : place au plaisir de la langue ! Berlitz vous fait découvrir l'anglais «off», celui que vous n'apprendrez jamais en cours et que vous ne parlerez ni avec vos profs, ni avec votre boss et encore moins avec vos parents ! Voici toutes les dernières expressions tendance et le vocabulaire des initiés pour maîtriser l'anglais de la rue et des jeunes, à parler entre amis, l'anglais authentique de tous les jours pour toutes les circonstances : des façons les plus cools de se dire bonjour aux formules les plus efficaces pour draguer, en passant par toutes les façons de dire du mal, insulter, exprimer sa joie, son désir, sa rage, etc. – avec en bonus quelques gestes bien sentis !

À savoir...

Nul ne saurait être initié sans connaître les rudiments de la langue ! Une connaissance préalable de l'anglais, de sa grammaire et de son vocabulaire, reste nécessaire. Comme vous le savez, il y a presque deux anglais, celui parlé en Grande-Bretagne, et celui parlé aux États-Unis. Les dernières expressions à la mode à Londres ne seront pas toujours comprises à New York... et vice versa !

Les expressions particulières à l'anglais britannique sont ainsi suivies de l'abréviation (Am.) dans l'ouvrage, celles particulières à l'anglais britannique sont suivies d'un (Brit.)

Rien n'est systématique cependant, et ne vous étonnez pas d'entendre des expressions britanniques aux États-Unis, et des expressions américaines dans la bouche des Britanniques, notamment dans le domaine de la langue courante et familière, langue tout spécialement traitée ici. Dans ce domaine en effet, la langue anglaise évolue sans cesse et le cinéma et la musique en sont les meilleurs propagateurs d'un côté à l'autre de l'Atlantique.

Attention...!

La plupart des expressions présentées dans l'ouvrage peuvent s'employer pour les filles aussi bien que pour les garçons.

 Certaines sont toutefois plutôt destinées aux demoiselles, elles sont alors suivies de ce symbole.

D'autres sont plutôt destinées aux messieurs et sont quant à elles suivies de ce symbole.

 Les expressions les plus «dangereuses» sont signalées par un petit piment rouge (Attention, expression susceptible de heurter certaines oreilles trop sensibles!)

Tout est affaire de contexte et une bonne appréciation de la situation et de son auditoire avant d'employer une expression «risquée» reste le moyen le plus sûr de ne pas faire un faux-pas – ou de déclencher un incident diplomatique!

La traduction qui est donnée s'efforce d'être l'équivalent le plus proche possible en sens et en niveau de langue de l'expression anglaise. Elle pourra donc également vous aider à savoir quand, où et avec qui employer telle ou telle expression.

Par ailleurs, au fil de la lecture de ce petit guide, vous rencontrerez les signalisations suivantes pour vous conseiller et vous faire explorer plus avant la culture des deux principaux pays anglophones:

 Expressions argotiques, grossières, voire franchement vulgaires – Bref, ce titre signale une zone absolument non censurée…

 Un peu plus loin dans la connaissance du pays – Des infos sur le mode de vie des Britanniques et des Américains pour enfin les comprendre!

 Les bons tuyaux pour passer tout de suite pour un vrai initié: les petits plus qui font toute la différence…!

Vous l'aurez compris, toutes les expressions que vous trouverez dans cet ouvrage ne sont pas toutes particulièrement châtiées! Nous ne saurions que trop vous conseiller de ne pas les utiliser avec des personnes envers qui un certain respect est de mise (parents, enseignants, supérieurs hiérarchiques, etc.), ou avec des personnes qui pourraient s'en offusquer (surtout si elles font une tête et quelques kilos de plus que vous…!) Quoiqu'il en soit, l'éditeur se dégage de toute responsabilité en cas de problèmes (disputes ou échanges de coups, arrestation suite à outrage à représentant de l'ordre, etc.) pouvant survenir lors de l'utilisation de ces expressions!

Une langue vivante évolue sans cesse et ce qui est à la mode aujourd'hui sera déjà «out» demain… Si donc vous connaissez des mots et expressions du moment en anglais, n'hésitez pas à nous en faire part en nous écrivant à l'adresse **info@berlitzeditions.fr.**

Les essentiels

*T*outes les façons de se dire bonjour, de la plus simple à la plus tendance, ou les meilleures formules pour...

✳ *Dire bonjour et au revoir,*

✳ *Demander comment ça va,*

✳ *Attirer l'attention sur soi,*

✳ *Rentrer dans la conversation…*

Faire le premier pas...

*Voici quelques expressions très utiles pour ne pas se contenter
d'un simple « Hello »...*

Hi! (Am., Brit.) / Hey! (Am., Brit.) / Hiya! (Brit.) Salut !

*Un classique, à utiliser dans toutes les circonstances
avec ses amis.*

Yo! (Am.) Yo !

*Convient pour toutes les situations aux États-Unis
– Très utile pour dire simplement bonjour, pour attirer
l'attention sur soi ou encore commencer une phrase.*

What's up? (Am., Brit.) / What's goin' on? (Am.)
Quoi de neuf ? / Ça gaze ?

*Plus une façon de dire bonjour qu'une question,
aucune réponse n'est attendue. Pour paraître vraiment
à l'aise, on peut aussi utiliser la forme contractée « Sup ! »
aux Etats-Unis.*

How's it goin'? Ça va ?

How ya doin'? (Am.) Ça va toi ?

*Pour les initiés : à prononcer de préférence à la façon
de Joey dans la série « Friends », avec l'accent new-yorkais
qui convient !*

Pour les initiés

"What's up ? " ou "How are you ? " ne sont pas de vraies questions.
Il ne s'agit de raconter alors en guise de réponse qu'on vient de se faire
larguer par son copain ou sa copine ou encore qu'on tient une terrible gueule
de bois... On s'attirera alors au mieux un regard énervé ou ennuyé de
la part de son interlocuteur. Pour se révéler en tant qu'initié, on pourra alors
répondre par un "Nothing much ? " nonchalant en réponse à "What's up ? "
ou avec un "I'm fine " à "How are you ? ".

How's you? (Brit.) Ça va?

How's it hanging? (Am.) Ça roule?

*Formule humoristique à utiliser au second degré,
en oubliant pas de sourire.*

How's it goin' ? Ça va?

Sucky. (Am.) **/ Crap. / You ?** Nul. / Bof… / (Et) toi?

*Le « you » peut être agrémenté un petit grognement
involontaire et un léger haussement d'épaule.*

What's shakin'? (Am.) Quoi de neuf?

Same shit, different day. (Am.) Comme d'hab.

*Littéralement « aujourd'hui est un autre jour,
mais c'est toujours la même merde »!*

Hey, how's it hanging? (Am.) Ça roule?

Same old, same old. Bof…

Ça va ?

*Une fois rentré dans la conversation, après la formule de salutation rituelle,
on peut en demander un peu plus :*

– **How's it going ?** Ça va?
– **Sucky.** (Am.) **/ Crap. / You ?** Nul. / Bof… / (Et) toi?
– **What's shakin' ?** (Am.) Quoi de neuf?
– **Same shit, different day.** (Am.) Comme d'hab.
– **Hey, how's it hanging ?** (Am.) Alors, ça roule?
– **Eh, ya know.** (Am.) Mouais…

Salut, toi !

Comment appeler ses « potes » en anglais ? Quelques exemples :

Yo dude ! (Am.) Salut mec ! / Salut man ! / Yo man !

*Peut aussi s'utiliser pour les nanas – mais, attention,
il est préférable de ne pas héler ainsi sa petite amie…*

Hi bro. (Am.) **/ Hi man.** ♂   Salut mec. / Salut man. / Salut cousin.
Formule rapide et décontractée, utilisée entre garçons.

Hey babe. ♀   Salut chérie. / Salut ma poule.
"Babe" est la forme abrégée de "baby". Les garçons peuvent appeler ainsi leur petite amie aux États-Unis, mais prudence tout de même, certaines filles pourront trouver l'expression déplacée. Les filles s'appellent également "babe" entre elles en Grande-Bretagne.

Hey girl! / Hey girlie! ♀   Salut (ma) chérie.
Façon cool et sympathique de s'appeler entre filles, à déconseiller pour les garçons...

Allez, ciao !

Et quand vient le moment de se quitter...
Voici quelques formules qui permettent de le faire dans les règles :

Later. (Am., Brit.) **/ Slater.** (Brit.)   À plus.
Forme courte de l'expression "see you later".

See ya!   Salut !
Cette expression tire aussi son origine de "see you later".

Check ya later. (Am.) **/ Catch ya later.**
À plus tard. / À plus.
Formule très cool pour se dire au revoir.
Notez le "you" prononcé "ya" à l'américaine.

Cheers. (Brit.)   Salut. / Ciao.
"Cheers" peut aussi s'employer pour dire « merci ».

I'm out. (Am.)   (Allez) J'me tire.
Forme abrégée de l'expression "I'm out of here".

I have to run. (Am., Brit.) **/ I have to jet.** (Am.)
J'me casse. / 'Faut que j'me casse.

I gotta bounce. (Am.) 'Faut que j'm'arrache.

Miss you already ! (Brit.) Allez, tu m'manques déjà !

À réserver aux bons amis et à prononcer sans avoir l'air sérieux, il s'agit d'une expression humoristique. Une façon classe de quitter ses amis… !

– **I gotta run.** J'me casse.
– **Yeh later.** D'ac, à plus.

Comme les vrais…

Tout ce qu'il faut encore savoir pour répondre du tac au tac à ses amis britanniques ou américains. Les petites expressions qui font toute la différence :

Yeh. (Brit.) / **Yeah.** (Am.) Ouais.

Nope. / Nah. Non.

(Yeh) whatever. (Ouais), c'est ça…
Très souvent utilisé, quand on ne sait pas quoi dire d'autre… ou pour signifier « je m'en fous », « ça m'est égal ».

Ooh ! Minging ! (Brit.) / **Ugh, nasty !** (Am.) / **Eww, grody !** (Am.)
Dégueu ! / Crade ! / À gerber !

Ooh ! You minger ! (Brit.) / **Dude, you're nasty !** (Am.)
T'es (trop) dégueu ! / T'es (trop) crade ! / T'es crado !

Peeving ! (Brit.) / **That pisses me off !**
P'tain ! Ça m'fait chier ! / Bordel ! 'Fait chier !

You dickhead / You idiot ! (Am., Brit.) /
You dumb-ass / moron / douchebag ! (Am.)
Tête de nœud ! (Espèce de) con ! / Idiot ! / Crétin !

It's a bit sad. (Brit.) / **Dude, not cool.** (Am.) / **It's pretty lame.** (Am.)
Ça fait pitié. / (C'est) pas cool, mec. / C'est (trop) nul.

À utiliser quand une personne se comporte de façon pitoyable ou pas très reluisante, par exemple quand un garçon court sans relâche après une fille qui pourtant n'a pas du tout envie de lui prêter attention.

No worries. (Brit.) **/ It's all good.** (Am., Brit.) **/ No probs.** (Am., Brit.)
Pas de problème. / Ça roule. / C'est OK.

Réponse à donner quand une personne s'excuse auprès de vous. Dans le même esprit, "sorry" est un des mots favoris des Britanniques, qui l'utilisent plutôt trop que pas assez... Deux personnes qui se retrouvent face à face et se bloquent le passage se diront automatiquement "sorry", quelque soit la personne qui est en tort.

Fair enough. (Bon) d'accord. / Ça marche.

S'utilise aussi pour donner raison à son interlocuteur dans une discussion.

'Spose. (Brit.) **/ Guess so.** (Am.) Mouais. / J'pense, oui...

Forme contractée de l'expression "I suppose so".

You're a true leg. (Brit.) **/ Brilliant !** (Brit., Am.) **/ You're the man.** (Am.)
(T'es) trop fort ! / (T'es) génial !

"Leg" est ici la forme abrégée de "legend" et se prononcera donc comme le mot "ledge". C'est un vrai compliment. Notez que "You're the man" peut même s'employer pour les filles !

You dancer ! (Brit.) **/ Quality!** (Brit.) **/ Niiiiiiice !**
Bravo ! / Bien joué ! / Joliiiii !

DANS LES FAITS Attention à l'esprit sarcastique des Britanniques ! Le sarcasme et l'ironie font partie du caractère national, et leur ironie parfois mordante peut se cacher sous un ton tout à fait normal et derrière un regard sérieux... Mieux vaut donc rester vigilant, au risque sinon de ne pas s'apercevoir qu'on en train de se faire ridiculiser !

2 Les lois de l'attraction...

*E*nvie de faire juste un peu plus ample connaissance ou d'envoyer promener un prétendant trop insistant ? Voici quelques expressions et conseils pour que ça marche à tous les coups, ou du moins que ça se passe le mieux possible... :

❋ *Les bonnes expressions pour une bonne technique d'approche,*

❋ *Pour aller plus loin et assurer comme un pro,*

❋ *Pour se débarrasser méchamment des pots de colle,*

❋ *C'est fini, on se quitte : comment le dire...*

La bonne approche

Tout ce qu'il faut pour ne pas passer à côté de la romance de sa vie, juste parce qu'on assure pas suffisamment en anglais… La maîtrise des expressions suivantes devrait garantir un résultat à toute tentative :

Are you here alone? / You alone? T'es seul(e) ?

Can I buy you a drink? J'te paye un verre ?

Would you like to dance? / Wanna dance? Tu danses ?

Un classique qui peut encore marcher… en soirée bien sûr.

Pour les initiés

Les expressions typiques pour entrer en matière entre jeunes et… avec une bonne dose de second degré ! Car c'est bien connue, une fille qui rit…

Do you come here often? Tu viens souvent ici / par là ?

Don't I know you from somewhere? (Am.) /
I recognise you from somewhere. (Brit.)
On se connaît (pas déjà) de quelque part, non ? /
On s'est déjà vus, non ?

You must be tired, you've been running through my mind all day. (Am.)
Ah te voilà enfin, j't'ai couru après toute la journée !
Littéralement : « tu n'es pas fatiguée, t'as traversé (en courant) mon esprit toute la journée… »

– **Mec : Polar bear** (Brit.) Ours polaire
– **Nana : What?** (Brit.) Hein ?
– **Mec : Polar bear** (Brit.) Ours polaire
– **Nana : What?** (Brit.) Quoi ?
– **Mec : I don't know, but it broke the ice.** (Brit.)
J'en sais rien mais au moins la glace est brisée. /
Laisse tomber l'ours, la glace est déjà brisée.

NON CENSURÉ

Voici des expressions juste pour le fun… À moins d'être particulièrement doué, les utiliser pourrait signifier une honte mémorable , avec peut-être une gifle en plus !

Get your coat, love, you've pulled. (Brit.)
Va chercher ton manteau chérie, t'as tiré le bon numéro…

Is that a ladder in your tights or a stairway to heaven? (Brit.)
C'est ton bas qui a filé ou c'est un escalier vers le paradis ?
On ne fait pas plus direct. Mais attention, au lieu d'atteindre le 7ᵉ ciel, il y a là le risque d'atteindre plutôt le 36ᵉ dessous…

Nice legs! What time do they open?
Super jambes, elles ouvrent à quelle heure ?
Allez, hop, au lit…

I lost my phone number, can I have yours?
J'ai perdu mon numéro de téléphone, je peux avoir le tien ?

I miss my teddy bear, would you sleep with me?
Mon nounours me manque, tu voudrais bien dormir avec moi ?

If I could rewrite the alphabet, I'd put U and I together
Prononcer U "you" (tu, toi) et I « aïe », ("I" : je, moi). Ce qui signifie littéralement « si je pouvais réécrire l'alphabet, je mettrais toi et moi l'un à côté de l'autre ».

Engager une conversation :

– Can I buy you a drink?
Je peux te payer un verre ?
– Sure, thanks. (Am.) **/ Yeh, thanks.** (Brit.)
D'accord, merci. / OK, merci.
– No, thanks.
Non, merci.

Hey Baby !

Vous trouvez une fille ou un garçon à votre goût ? Dites-le !
Mais attention, les expressions les plus sexy peuvent aussi s'avérer
les plus sûr moyen de rater son coup si on n'y met pas tout le tact
nécessaire...

Wow, he's / she's...	Waou, il / elle est...
cute.	mignon(ne).
hot.	canon.
sexy.	sexy.
fit. (Brit.)	canon.
stunning. (Brit.)	sensass.
amazing. (Brit.)	incroyable.
tasty. (Brit.)	à croquer.
a hottie. (Am.)	une bombe (sexuelle).
got it goin' on. (Am.)	il / elle a tout ce qu'il faut.
really nice.	Super / vraiment sympa.

Un vrai compliment chez les Britanniques. Si on vous
qualifie de "nice", c'est presque gagné ! Aux Etats-Unis
par contre, "nice" n'aura pas de connotation particulière,
comme le « sympa » français.

Et à propos des filles plus particulièrement :

(Damn) that girl is…	(Waou) cette fille…
a babe.	c'est un vrai canon.
smokin' hot. (Am.)	elle est trop bonne.
bangin'. (Am.)	super sexy.
phat. (Am.)	c'est de la bombe.

Attention qu'elle ne comprenne pas "fat" (« grosse »)…

DANS LES FAITS

"To hit on" en anglais américain, "chat up" ou "come onto someone" en anglais britannique signifient « draguer quelqu'un ». L'expression "I made a pass at him / her" peut aussi s'employer, ainsi que le verbe "to pick up" – avec toutefois moultes précautions car en Grande Bretagne, il s'utilise avant tout pour parler des prostituées.

Se débarrasser des pots de colle

Comment envoyer promener en anglais, avec classe et majesté, un prétendant un peu trop collant ? De la formule la plus aimable à la plus brutale, voici de quoi s'en sortir :

I'm waiting for someone.
J'attends quelqu'un.
Mais pas toi…

I have a boyfriend / girlfriend.
J'ai un copain / une copine.
Même si c'est un gros mensonge, le message sera compris…

In your dreams.
Tu peux toujours rêver / courir.

Get real!
Arrête de délirer. / Redescends sur terre.

Step off! (Am.) **/ Piss off!** (Brit.)
Tire-toi ! / Casse-toi !

Pas très sympa certes, mais très clair et efficace.
En Grande-Bretagne, où l'on est toujours plus poli,
à n'utiliser que pour les cas de dragueur vraiment trop
insistant, voire très « lourds »...

Get lost!
Dégage !
Formule qui peut être utile dans certains cas...
Refroidit en tout cas les ardeurs les plus vives.

Allez, j'm' lance !

Damn girl, you're bangin! Wanna dance? (Am.)
Waou, t'es bonne / canon, toi ! Tu danses ?
In your dreams!
Dans tes rêves !

Ce genre de compliment est plutôt rare en Grande-Bretagne –
On ne saurait trop conseiller de commencer par un peu de "small talk",
une petite discussion anodine et sans conséquence afin d'installer
un climat de confiance et montrer un peu de tact...

Hey, how's it goin'? Do I know you from somewhere?
Salut, ça va ? J't'ai pas vue déjà quelque part ?
Mmm... maybe it's from uni... (Brit.)
Mmm... à la fac, peut-être...
Peu importe que cela soit vrai ou pas,
du moment que la glace est brisée !

C'est fini !

Que dire dans ce genre de situations délicates… ?

She broke up with him. Elle a cassé avec lui.
She dumped him. Elle l'a largué.
He split up with her. Il l'a quittée.
He sent her packing. Il l'a envoyée promener.
He gave her the boot. Il l'a foutue à la porte

NON CENSURÉ

Un gros chagrin d'amour ? Voilà comment se lamenter sur celui ou celle qui vous a brisé le cœur.
Pour les filles :

She's a…	C'est (vraiment) une…
bitch.	garce.
skank. (Am.)	salope.

"Skank" sous-entend une éventuelle maladie sexuellement transmissible.

hoebag. (Am.)	salope.
slapper. (Brit.)	pétasse.
tart. (Brit.)	pouffiasse.
slut.	salope.
dog. (Brit.)	chienne / salope.

NON CENSURÉ

... et pour les garçons :

He's a...	C'est (vraiment un)...
player.	chaud-lapin.
dog. (Am.)	chien. / salaud.

Attention, en anglais britannique, "dog"
s'utilisera pour les filles, non pour les garçons.

scumbag.	Salopard.
creep.	rat / sale type.
sleaze. (Brit.)	ordure.
arsehole (Brit.) **/ asshole.** (Am.)	trouduc.
dick.	con.
wanker. (Brit.)	branleur.

Pour les initiés

Aux États-Unis, pour les garçons comme pour les filles, les rendez-vous galants s'appellent des "dates". Il est d'ailleurs tout à fait normal d'avoir des "dates" avec plusieurs personnes en même temps s'il ne s'agit pas d'une relation sérieuse. Au bout de quelques "dates" on choisit de donner ou pas un tour plus sérieux à la relation commencée. On sera par contre plus direct en Grande Bretagne : si on s'est tapé dans l'œil on se le dit !

chapitre 2
Se quitter

Le feu de l'amour s'est éteint ? Comment le lui dire en anglais :

Let's just be friends.
On reste amis…

Let's take a break.
'Faut qu'on fasse une pause.
Plutôt lâche comme formule.
Mais chacun saura de quoi il en retourne : c'est fini !

I need some space.
J'ai besoin d'air.

We should see other people.
Il est temps qu'on aille voir ailleurs.
La séparation est là déjà amorcée !

I'm not ready for this.
J'suis pas prêt(e).

It's not you, it's me.
C'est pas toi, c'est moi…
Mais il n'empêche que c'est fini quand même…

It's over. / We're through.
C'est fini.

Passons aux choses sérieuses... 3

*P*arlons sexe – *Tout le vocabulaire du désir et de la passion !*

* *Un peu de romantisme – Du bécotage au pelotage,*
* *Les 1001 façons de parler de la plus belle chose de la vie,*
* *Potins : qui l'a fait et avec qui…,*
* *MST et autres désagréments.*

Ça commence par des picotements

Épatez vos amis anglophones par le récit de vos dernières aventures…

Il faut un peu d'humour…

We're just fooling around. (Am.) **/ We're just messin' around.** (Am.) **/ It's just a bit of fun.**

On s'amuse un peu, s'est tout.

Sous-entendu : ça n'empêche pas d'aller plus loin…

We got it on.

On s'est éclatés.

Sous-entendu : on a fait plus que s'embrasser, mais sans pourtant aller jusqu'au sexe…

We're friends with benefits.

Nous sommes amis, et plus car affinités…

… avant que ça devienne sérieux

We got together. (Brit.)

On s'est vus…

Pas seulement bonjour-au revoir, il s'est passé beaucoup de choses entre-temps…

We're going out. (Am., Brit.) **/ We are together.** (Brit.)

On sort / est ensemble.

He's my boyfriend.

C'est mon copain.

Et finalement… un peu de sexe

We're lovers. (Am.) **/ We are partners.** (Brit.)

On est / vit ensemble.

"Lovers" signifie en anglais que l'intimité est complète…

We're fuck buddies. (Am., Brit.) 🪶 / **We're shag buddies.** (Brit.) 🪶
C'est juste / que pour la baise.
*"Buddies" (singulier "buddy") peut s'employer aussi
en Grande-Bretagne entre garçons (« potes »), que ce soit
entre amis hétérosexuels ou entre amis homosexuels.*

Il commence à faire chaud...

Des petits bisous au corps-à-corps torride, il n'y a pas de limite :

Give me a smooch.
Embrasse-moi / Donne-moi une grosse bise.
*Bien choisir le moment — Cette demande peut aussi être
récompensé d'un rire moqueur ou d'une gifle.*

We made out. (Am.)
On s'est roulé des pelles.

They got off with each other. (Brit.)
Ils se sont roulé des pelles. / Ils se sont envoyés en l'air.
*Dans cette expression, le doute subsiste quant à savoir
ce qui s'est réellement passé, mais contrairement à "they got
together", on comprend ici qu'il s'est passé quelque chose...*

He kisses like a washing machine. / He kisses like a wet fish.
Il embrasse comme une machine à laver. / Il embrasse comme un
poisson..
*Une technique très « humide » pour embrasser donc...
En français, on embrasse dans ce cas plutôt
« comme un pied » ou « comme un manche » !*

He fished for my tonsils. (Brit.)
Il m'a roulé un palot.
*C'est-à-dire en anglais :
« il est allé à la pêche à mes amygdales » !*

There was a bit of tonsil action / tonsil hockey going on.
On s'est léché les amygdales. / On s'est roulé des pelles.

Signifie littéralement : « nos amygdales ont été actives / On a fait du hockey avec nos amygdales ». Expression à utiliser au second degré, sans sérieux, bien sûr !

DANS LES FAITS En Grande Bretagne on ne demande pas gentiment si on peut poser ses lèvres sur celle d'une autre personne, on passe à l'action et on l'embrasse, tout simplement. Les Américains, eux, sont à la fois plus prudes et plus prudents. Aux États-Unis, tournez votre langue sept fois dans votre bouche avant de le faire de celle de votre partenaire si vous n'êtes pas sûr de vous et de la réaction de votre nouvelle « moitié ».

Can we go somewhere quieter?
On cherche un coin plus tranquille ?

Attention, dans un autre contexte, il peut aussi s'agir de trouver un endroit tranquille pour simplement parler !

Do you want to come in for a coffee?
Tu veux rentrer prendre un café ?

I'm horny, baby.   Je suis chaud(e), chéri(e).

Do me.   Baise-moi. / Saute-moi.

Roucoulades

Voici toute une liste de petits mots doux ("sweet nothings" en anglais) à susurrer à l'oreille de son canard, son poussin, etc... :

Gimmee a kiss, …	Embrasse-moi, …
baby (Am., Brit;) / **babe.** (Brit.)	chérie.
sweetie.	mon chou. / mon cœur.
my love.	mon amour.
honey / hunny bunch.	chéri(e).

sweetums.	ma cocotte.
gorgeous.	mignon(ne).
sexpot. (Brit.)	mon allumeuse.
boo. (Am.) ♂	mon chou…

Complètement mordus…

– Are you going out with Jessica?
Tu sors avec Jessica ?
– Nah, we're just friends.
Non, on est juste amis.
– Yeah, well I saw you making out at the movies last night! (Am.) **/ Yeh, well I saw you snogging at the cinema last night!** (Brit.)
Ah ouais ? Je vous ai vus hier soir au ciné en train de vous peloter.

Quelques amabilités

Un choix de qualificatifs à utiliser selon la situation :

She's…	C'est / Elle est…
a good girl.	une fille sympa.
a prude / frigid.	une prude / frigide.
a flirt.	une dragueuse.
a (cock)tease.	une allumeuse.
easy. (Brit.)	facile.
a ho (Am., Brit.) **/**	une pute.
hoochie. (Am.)	une pute.
a slut.	une traînée.

He's…	C'est / Il est…
sweet.	adorable.
a gentleman.	un vrai gentleman.
all talk.	une grande gueule.
a flirt.	un dragueur.

a tease.	un chaud-lapin.
~~**a player./ a womanizer.**~~	un coureur de jupons.
He / She gets around.	C'est un chaud-lapin / une Marie-couche-toi-là.

"To get around" signifie aux États-Unis que l'on a plusieurs partenaires sexuels. En Grande-Bretagne par contre, cela se limite au bécotage et au pelotage.

NON CENSURÉ

Et maintenant abordons les choses sérieuses… "We made love" est l'expression la plus juste et la plus tendre, mais il faut aussi parfois être un peu plus…vulgaire! Vous entendrez sûrement les verbes suivants, autant donc en connaître le sens pour éviter de le demander, ce qui pourrait être gênant pour vous comme pour votre interlocuteur:

We…   Nous avons baisé. / forniqué. / niqué, etc.

fucked. 🥕

"Fuck" peut avoir une multitude de sens en anglais.

screwed. 🥕

Absolument vulgaire. Attention toutefois, ce verbe n'a pas qu'un sens sexuel: "he screwed me" peut aussi signifier « il m'a roulé / escroqué ».

banged. (Am.) 🥕

Encore un terme à utiliser avec toutes les précautions possibles, et pas devant n'importe quel auditoire!

shagged. (Brit.) 🥕

Idem — À n'employer qu'avec d'infinies précautions!

Sainte ou salope ?

– That girl's hot.

Cette nana est sensass.

– I heard she gets around.

Il paraît que c'est une Marie-couche-toi-là.

– Nah, she's really just a tease.

Non, c'est une allumeuse, c'est tout.

Comment en parler à ses amis ?

Il existe de nombreuses façons de parler de la plus chose du monde en anglais. Autant connaître les principales :

We did it. On a couché ensemble.

Sans être plus explicite, "it" en anglais signifie "la chose", ce que deux personnes consentantes peuvent faire ensemble.

We made love. On a fait l'amour.

Expression qui peut passer pour un peu démodé en Grande-Bretagne.

We hooked up. (Am.) **/ We shacked up.** (Brit.)

On a fait des choses ensemble.

Expression idéale et habile pour laisser sous-entendre ce dont il n'est pas facile de parler...

DANS LES FAITS

Quand les Américains parlent sexe, il y a de fortes chance d'entendre l'expression "they hooked up", qui veut dire à peu près tout : s'embrasser, faire des câlins ou faire l'amour. Pour éviter des malentendus si l'on est pas sûr d'avoir été compris, mieux vaut alors préciser... "They shacked up" est la version britannique de la même expression, mais attention à son emploi, car pour les personnes plus âgées, elle a clairement le sens de "faire l'amour". "They shacked up" aux Etats-Unis signifie tout simplement qu'« ils (= un couple) ont emménagé ensemble ».

We slept together.   On a couché ensemble.

We spent the night together.   On a passé la nuit ensemble.

On peut faire beaucoup de choses à deux en une nuit,
amis la chose est très claire ici...

I went home with him.
Je suis rentré(e) avec lui.
Inutile de préciser la suite...

Tom pulled last night. (Brit.) **/ Tom scored last night.**
Tom a tiré son coup / sa crampe hier soir.

DANS LES FAITS

En Grande-Bretagne, "to pull" est un verbe qui est souvent à l'origine de nombreux malentendus. signifie «embrasser quelqu'un» en Écosse, et si vous entendez quelqu'un dire "I pulled" en Angleterre, cela veut dire clairement qu'il a fait l'amour. "We're going out on the pull" s'entendra chez les garçons, qui, le week-end venu, partent à la chasse, pour embrasser ou plus...

Petites cochonneries

Envie d'une aventure ? Voici quelques expressions pour faire monter la température !

I bought some lingerie.
J'ai me suis acheté des dessous.

She's adventurous.
Elle aime essayer de trucs.

We love to watch porn.
On adore regarder des pornos.

He / She likes threesomes. (Am., Brit.) **/**
He / She likes three-ways. (Am.)
Il / Elle aime le faire à trois.

She's into toys. (Brit.)
Elle kiffe les accessoires.

Sortez couverts !

*En Grande-Bretagne, aux États-Unis ou ailleurs, la connaissance
des expressions vues jusque-là ne peut s'envisager sans la connaissance
de celles-ci :*

Do you have a condom? (Am., Brit.) **/ Do you have a rubber?** (Am.)
T'as un préservatif / une capote ?

*En Grande-Bretagne "rubber" est une gomme et non
un préservatif – Ce qui a déjà été la cause de quelques
malentendus pour des Britanniques aux États-Unis !*

Are you on the patch? (Am.)
Tu utilises le patch ?

*Le « patch » est le patch contraceptif, récemment introduit
outre-atlantique.*

Are you on the pill? (Am., Brit.)
Tu prends la pilule ?

Wait! I'll put in my diaphragm.
Attends, je mets mon diagramme.

You better use protection!
Tu devrais sortir couvert !

S'utilise pour tout type de moyen contraceptif.

Est-il aussi prudent en actes qu'en paroles ?

– I heard that Anna slept with John last night!
J'ai entendu dire qu'Anna a couché avec John la nuit
dernière !
– No way! I hope they used protection!
Pas possible ! J'espère qu'ils ont pris
leurs précautions !

Enceinte ?

Jessica got knocked up.
Jessica s'est fait mettre en cloque.

She looks like she's got a bun in the oven.
On dirait qu'elle a un polichinelle dans le tiroir.

I heard John's girlfriend is expecting.
Il paraît que la copine de John attend un enfant.

M.S.T., etc.

Oups… Mieux vaut prendre quelques renseignements auparavant…

She has a(n) S.T.D. / V.D. / S.T.I.
Elle a une MST.
S.T.D. : "sexually transmitted disease", V.D. : "veneral disease", S.T.I. : "sexually transmitted infection".

Did she give it to you?
Elle te l'a refilée ?

That girl is totally skanky (Am.) **/ dirty.** (Am.) **/**
That girl is a mink! (Brit.)
Cette nana est pas nette ! / est plombée.
"Dirty", en plus de son sens premier de « sale », signifie « pervers » en anglais britannique et n'a aucun rapport avec les maladies sexuellement transmissibles. "Mink" peut aussi avoir le sens de « sale », « dégueu ».

John's gotta have something, he totally sleeps around /
gets around.
John doit avoir attrapé quelque chose, c'est clair, il couche avec tout ce qui passe.

Have you been tested?
T'as fait les tests ?

He caught…	Il a attrapé / chopé…
herpes.	un herpès.
gonorrhea.	la blennoragie.
the clap.	la chaude-pisse.
syphilis.	la syphilis.
aids.	le sida.

N'oubliez de demander…
– Have you been tested
T'as fait les tests ?
– Yeh, I'm clean.
Ouais, j'suis OK / clean

Pour les initiés

Les ados américains font souvent leurs premières expériences sexuelles pendant le lycée (entre 12 et 18 ans), voire même avant. Les maladies sexuellement transmissibles et les cas de grossesses d'adolescentes sont un véritable sujet de société aux États-Unis à l'heure actuelle. De plus en plus de magazines, films et publicités appellent à l'abstinence sexuelle et de nombreuses stars d'adolescents donnent l'exemple en adhérent au controversé mouvement "Abstinence Only" (« seul l'abstinence compte »).

En Grande Bretagne, les relations sexuelles sont officiellement autorisées à partir de 16 ans. L'"urban myth" laisserait croire que les ados britanniques sont très actifs, mais en réalité et comme partout ailleurs, la plupart des restent vierges jusqu'à la fac (autour 18 ans) et même après.

4 Le monde gay & lesbien

Un petit détour par la scène alternative ? Quelques expressions qui vous permettront de ne pas être à côté de la plaque dans un monde d'initiés aux codes bien précis.

✳ *Toutes les expressions gays & lesbiennes,*
✳ *Et même un peu de « bi », ça ne fait pas de mal…*

Est-il gay ? Est-elle lesbienne ?

En anglais aussi, on ne compte plus les termes pour désigner gays et lesbiennes :

Is he / she…	Est-il / elle…
gay? ♂ ♀	gay / homosexuel ?
queer? ♂ ♀	pédé ?
a lesbian? ♀	lesbienne ?

Jeff's straight, he only dates women. (Am.) /
Jeff's straight, he only sees women. (Brit.)
Jeff est hétéro, il ne sort qu'avec des femmes.

Lucy came to the party with her partner.
Lucy est venue à la soirée avec son amie.

NON CENSURÉ

Ces termes peuvent s'entendre et s'utiliser entre mais proches et de confiance. Dans tous les autres cas, prudence ! Ces termes sont très péjoratifs dégradants et peuvent profondément blesser :

Poof (Brit.) 🖌 pédale

Batty boy (Brit.) 🖌 tapette/castor
Sous-entendu un « timbré ».

Pillow biter 🖌 tapette/caroline
Littéralement un « mordeur d'oreiller ».

Fudge packer 🖌 tasseuse / chevalier de la rosette

Faggot (Brit.) ♂ 🖌 pédé

Fag ♂ 🖌 pédé
"Fag" peut aussi désigner un jeune élève interne en anglais britannique, souffre-douleur de ses aînés.

chapitre 4

NON CENSURÉ

Tom bats for the other team. (Brit.) /
Tom plays for the other team. (Am.)
Tom est de l'autre bord.
Littéralement: « Tom joue dans l'autre équipe. »

Dyke / Diesel dyke ♀🥕
Gouine / Goudou

Muff muncher / Carpet muncher ♀🥕
Gouinasse / Broute gazon

Queen ♂🥕
Caroline / folle / tantouze

Fag hag ♀🥕
Fille à pédés / Femme qui fréquente les homosexuels

DANS LES FAITS Dans le monde homosexuel aux Etats-Unis et en Grande Bretagne "the closet" (« le placard » en anglais américain) désigne l'isolement dans lequel se trouve celui ou celle qui ne peut ou ne veut affirmer ou révéler son homosexualité. "To come out of the closet" ou simplement "to come out" signifiera révéler son homosexualité à son entourage, faire son "outing". D'une personne qui « dénonce » un(e) homosexuel(le) comme tel(le) , on dira : "he outed him / her".

Est-il / Est-elle bi ?

She's bi.

Elle est bi.

I heard that Mike swings both ways.

J'ai entendu dire que Mike marche à voile et à vapeur.

Jessica plays for both teams.

Jessica joue sur les deux tableaux / est une autoreverse.

DANS LES FAITS

Entre gays et lesbiennes, on s'appelle en anglais "poof" ou "queen" – mais attention, termes sont réservés aux homos entre eux, qu'une personne hétéro les emploie et ils prendront tout de suite une teinte nettement péjorative et insultante. Il faut faire attention à son auditoire et rester très vigilant avec toutes ces expressions et termes qui exigent tact et esprit d'à-propos !

5 Le sport et les jeux

*Q*ue ce soit au stade ou au centre de fitness, sur le terrain de sport ou devant la PlayStation®, qui veut entrer dans les jeux et fustiger l'adversaire ou le mauvais partenaire doit maîtriser le bon vocabulaire !

❋ *Comment encourager ton équipe et descendre l'adversaire,*

❋ *Parler du foot et du football américain,*

❋ *Transpirer avec classe à la salle de gym,*

❋ *Marquer des points aux jeux vidéos !*

Cris de guerre

Que crier aux joueurs des équipes de foot britanniques ou aux géants des équipes de foot américain ?

You can do it!
Tu peux le faire ! Vas-y !

Une expression qui montre que tu crois en lui.
Attention toutefois, elle s'emploie plutôt pour encourager les enfants en Grande-Bretagne, il serait donc sage de ne pas l'employer pour encourager un joueur de votre équipe favorite…

Let's go! (Am.) / Come on!
Allez !

Les deux expressions peuvent se combiner en "Come on guys, let's go" en anglais britannique. "Come on" employé seul est plutôt un constat désolé lorsque les choses tourne mal et que quelqu'un est en train de faire n'importe quoi.

Make it yours! (Brit.)
C'est ton ballon !

À crier à un joueur qui essaie de subtiliser le ballon des pieds de son adversaire.

Defense! (Am.)
Défense !

À prononcer bien fort : DE – FENSE ! (« di-fense ! »).

DANS LES FAITS Ces expressions peuvent s'utiliser dans tous les pays anglophones, certains clubs ou régions possèdent cependant leurs propres expressions et cris d'encouragements. Il suffit de bien écouter ce qu'on hurle à côté de vous !

Louanges

Voilà ce qu'il faut dire pour célébrer un match d'exception, une feinte d'anthologie ou un tir au but de légende :

What a… move (Am., Brit.) / **play** (Am.) / **shot!** (Am., Brit.)	Que c'est bien joué !
nice	joli
well-in (Brit.)	beau coup
sweet (Am.)	joli
killer (Am.)	mortel
wicked	super
schooled (Brit.)	la classe

Utilisé au foot pour un féliciter une belle feinte, un beau dribble.

kick-ass (Am.)	énorme
demon (Brit.)	nickel
Olay! (Brit.) / **Nutmeg!** (Brit.)	Olé !

Pour applaudir par exemple un superbe petit pont qui laisse l'adversaire humilié !

It's in the bag.
C'est dans le sac.

La victoire es certaine — mais à ne pas dire trop haut pour ne pas agacer les supporters de l'équipe adverse…

Did you see the baseball game last night? Jeter was out of this world!
T'as regardé le baseball hier soir ? Jeter a été énorme !

Derek Jeter est le joueur le plus célèbre de l'équipe de base-ball de New-York, les New York Yankees.

Kobe wiped the floor with the Knicks' defense.
Kobe a réduit en miettes la défense des Knicks.

Kobe Bryant est un jouer de l'équipe de basket des Los Angeles Lakers, les Knicks est l'équipe de New York.

Arsenal took Man. U. to school.

Arsenal a donné une leçon de foot à Manchester.

*Expression qui s'entendra plutôt dans la bouche
des commentateurs sportifs, même si ceux-ci sont censés
restés neutres dans leurs commentaires !*

Pour les initiés

"Soccer" désigne le football européen aux États-Unis et "football" le football américain, beaucoup plus populaire là-bas que notre foot. Il se joue sur un champs, long de 100 Yards (91,44 mètres), avec des poteaux en forme d'Y à chaque extrémité et une zone de but nommée "end zone" dans laquelle on peut marquer. L'équipe en possession de la balle doit progresser en direction de la zone de but adverse sans se faire « tacler » ("tackled") par celui-ci. En Grande Bretagne le foot est une véritable religion, il est désigné aussi sous le nom de "football".

Ououuu… !

*Quand le jeu prend un mauvais tour, que la victoire semble préférer
l'équipe adverse, il s'agit de réagir et de rappeler son équipe à la réalité :*

Hey ref, …	Arbitre, …
that was a foul!	faute !
throw him out! (Am.)	vire-le ! / carton !
stop hogging the ball! (Brit.)	arrête de garder le ballon !
are you blind?	t'es aveugle ?
he's out of there! (Brit.)	Il est dehors / out !
BULLSHIT! (Am.)	n'importe quoi !

*Le mot s'entend aussi parfois, crié en chœur et en rythme
par chacun des deux côtés du stade : "BULL – SHIT".*

My grandmother can play better than you! (Am.)
Même ma grand-mère joue mieux que toi !

You throw like a girl! (Am.)
Tu tires comme une gonzesse !

You plonker! (Brit.)
Espèce de crétin !

You girl's blouse! (Brit.)
Espèce de poule mouillée.
Plutôt employé par les enfants et les adolescents qui jouent aux grands.

You stink! (Am., Brit.) **/ You suck!** (Am.) **/ You blow!** (Am.)
T'es nul !

You wus! (Am.)
Lavette !

You couldn't finish your dinner! (Brit.)
T'es complètement nul !
Très fréquent au football. Littéralement :
« T'as pas pu finir ton dîner ! »

DANS LES FAITS Les hooligans anglais ont très mauvaise réputation – ce dont beaucoup de britanniques ont honte, car la confusion entre la seule Angleterre et toute la Grande Bretagne est très répandue. Prudence donc et pas de confusion au sujet des hooligans au pays des Galles, en Écosse ou en Irlande du Nord… À l'occasion de la coupe du monde en 1998 en France, la FIFA a décerné le prix des meilleurs supporters aux écossais, la fameuse "Tartan Army".

NON CENSURÉ

Une rencontre sportive ne serait pas ce qu'elle est si elle n'était pas aussi l'occasion d'échanger quelques amabilités entre adversaires. C'est assez courant aux Etats-Unis :

Son of a bitch!
Fils de pute ! / Enculé !

Bastard!
Salaud !

Jackass!
Abruti ! / Connard !

You wanker!
Espèce de branleur !

You couldn't score in a brothel!
Si t'allais à la mer tu la trouverais sèche !

S'utilise quand un joueur n'arrive pas à marquer. Il s'agit ici d'un jeu de mots sur le verbe "to score" ("to score a goal" : « marquer un but », "to score" : « baiser »). Littéralement, « tu n'arriverais même pas à baiser dans un bordel »…

Sissy / Pussy!
Lavette !

"Sissy" n'est pas vulgaire pour les Britanniques. Quant à "pussy", il n'est bien sûr pas uniquement question d'un mignon petit chat ("pussy"), ce terme ayant aussi le sens de « chatte » en français.

Get the fucking ball!
Va chercher ce putain de ballon !

Sports et jeux

Qu'il y a-t-il d'autre dans la vie en dehors du foot?

Do you play…?	Est-ce que tu joues au / à la… ?
baseball (Am.)	base-ball
basketball	basket
football	football américain (Am.) / foot (Brit.)
soccer (Am.)	foot
volleyball	volley
lacrosse	crosse

Sport très populaire au Canada.

cricket (Brit.)	cricket
rugby	rugby
rounders (Brit.)	rounders

No, I prefer…	Non, je préfère…
cycling / mountain biking.	faire du VTT.
swimming.	faire de la natation.
skateboarding.	faire du skateboard.
skiing / snowboarding.	faire du ski / snowboard.

DANS LES FAITS

Le "Rounders" est un jeu de ballon très ancien qui est probablement l'ancêtre du baseball. y a deux équipes, une qui frappe la balle et l'autre qui est en défense. Le frappeur ou batteur ("batter") doit frapper une petite balle dure, puis courir le plus vite possible le long d'un cercle sur lequel se trouvent différentes étapes ou bases. S'il est touché par la balle par l'équipe adversaire (à l'extérieurs des bases), c'est alors au tour de celle-ci de frapper. Si le batteur parvient à faire un tour complet, son équipe a un point. Le "Rounders" n'est pas un jeu officiel britannique, mais il est pratiqué dans beaucoup d'établissements scolaires.

Pour les initiés

Les Américains et les Britanniques ont tendance à se vanter de leurs exploits sportifs, mais dans leurs attitudes pendant les rencontres sont très différentes. Aux États-Unis, un match est un événement important et très sérieux, et les fautes peuvent être durement sanctionnées. Les Britanniques ne se prennent pas autant au sérieux. Ils éviteront de critiquer ouvertement un joueur mais ils le taquineront avec un bon esprit. L'auto-critique est la seule forme de critique permise !

Tablettes de chocolat & Co.

Même si on n'en a pas, on peut y travailler :

Let's…	Allons, …
go to the gym.	à la salle de gym.
go work out. (Am.) **/**	
do some exercise. (Brit.)	faire un peu de sport.
go train. (Brit.)	faire un peu d'entraînement.
beat the flab. (Brit.)	perdre quelques kilos.
do aerobics.	faire de l'aérobic.
go running.	faire un footing.
go lift / pump some iron. (Am.)	faire de la gonflette.

Come on!
Allez ! / Let's go !

Push it! (Am.)**Keep it going!** (Brit.)
Allez ! / Ne lâche pas !

DANS LES FAITS

Aux États-Unis comme en Grande Bretagne, on trouve des clubs de gym un peu de partout. Les gens s'y donnent rendez-vous pour rencontrer leurs amis et pour se maintenir en forme. Aux États-Unis, on ne se gêne pas pour montrer son corps d'athlète, on se fera par contre plus discret en Grande Bretagne.

Instruments de torture...

Le vocabulaire essentiel du fitness :

Today I worked on ...	Aujourd'hui, je me suis entraîné sur...
the bike.	le vélo.
the treadmill.	le tapis roulant.
the stair climber.	le stepper.
Don't forget your...	N'oublie pas ton / ta / tes...
bike shorts (Am.) **/**	
cycling shorts. (Brit.)	cuissard.
football shorts. (Brit.)	short.
sneakers (Am.) **/ trainers.** (Brit.)	baskets.
(membership) card.	carte d'adhérent.
sports bra.	soutien-gorge de sport.
jock strap.	coquille.
mouth guard.	protège-dents.
shin guard.	protège-tibia.

Qui est le plus sportif ?

– **I'm gonna** (Am.) **/ goin' to** (Brit.) **play football today.**
Je vais jouer au foot aujourd'hui.
– **OK, I think I'm gonna** (Am.) **goin' to** (Brit.) **go jogging.**
D'accord. Je vais faire un footing.

Les jeux

Fan de jeux vidéo ? Voici quelques expressions à utiliser avec le joystick en anglais :

Want to play with the…   Tu veux faire une partie de… ?
PlayStation®?   PlayStation® ?
N64?   N64 ?
GameCube™?   GameCube™ ?
Xbox®?   Xbox® ?

Let's play Xbox live.
Faisons une partie de Xbox Live.

Give me the controller / joystick.
Passe-moi la manette.

I've got two lives left.
Il me reste deux vies.

I got him! (Am.) **/ I got him out!** (Brit.)
Je l'ai eu ! / Je l'ai sorti !

Beautiful! Fantastic! Great!
Joli ! / Super ! / Génial !

Petit conseil pour faire plus authentique : à dire quand vous marquer un point et avec une légère emphase, comme si vous veniez de réaliser l'exploit du siècle !

6 Shopping

*C*onseils pratiques et expressions utiles pour tous les accros du shopping !

❋ Tout pour un lèche-vitrine d'enfer – et en anglais !

❋ Les expressions à connaître pour les dénicheurs de bonnes affaires et les initiés de la mode.

La fièvre acheteuse

Avant de partir, il faut toujours s'enquérir de sa destination…

Let's go to…	Allons, …
the mall (Am.)	au centre commercial.
shopping centre. (Brit.) /	
the shops. (Brit.)	faire les magasins.
a department store.	au grand magasin.
a vintage shop (Am.) /	
charity shop. (Brit.)	à la boutique de vêtements vintage.
the outlets (Am.)	à l'usine centre
an outlet store.	au dépôt d'usine
the flea market.	aux puces.

DANS LES FAITS

En Grande-Bretagne, la TVA est incluse dans le prix de vente, on paie donc le prix indiqué sur l'étiquette. Aux Etats-Unis par contre, la TVA est ajoutée une fois à la caisse. Il faut compter environ dix pour cent du prix affiché en plus. C'est plus encore pour l'alcool.

Le pourquoi du comment

Quelques questions pour recueillir les infos utiles lors d'une séance de shopping en anglais :

Do you have this in a size 10?
Vous auriez ça en taille 10 ?

What other colors (Am.) / **colours** (Brit.) **do you have?**
Quelles autres couleurs avez-vous ?

Where's the fitting room (Am.) / **dressing room** (Am., Brit.) /
changing room? (Brit.)
Où est la cabine d'essayage ?

Where is the till (Brit.) / checkout?   Où est la caisse ?

En Grande-Bretagne, au supermarché, on paie une fois "at the checkout", et dans tous les autres types de magasin "at the till". Aux États-Unis, on paie dans tous les magasins "at the checkout", "the till" est alors la caisse contenant l'argent.

Elle me tourne autour cette vendeuse...

– Can I help you?
Puis-je vous aider ?
– No thanks. I'm just looking.
Non, merci. Je veux juste jeter un coup d'œil.

DANS LES FAITS   En Grande-Bretagne, les vendeurs sont des "shop assistants", aux États-Unis ce sont des "sales persons". Vous verrez souvent des personnes à la porte d'entrée des magasins aux Etats-Unis, pour accueillir les clients potentiels. En Grande-Bretagne, on ne voit ce type de jobs que dans les chaînes américaines comme GAP ou Disney.

Qui cherche, trouve !

Quelques mots à bien apprendre pour que la séance de shopping ne se transforme pas en chasse au trésor...

Where's the... department?	Où puis-je trouver le rayon... ?
men's	hommes
women's	femmes
junior's (Am.)	jeunes
children's (Brit.)	enfants
sportswear (Am.) / **sports** (Brit.)	sport
shoe	chaussures
cosmetics	cosmétiques

T'aurais pas un euro ?

Et maintenant, il s'agit de se faire comprendre de la caissière et de lui soutirer des infos capitales :

How much is it?

Combien ça coûte ?

It comes to 30 dollars even. (Am.) /
It comes to exactly 15 pounds. (Brit.)

Cela fait 30 dollar / 15 livres pile.

Is it on sale?

Est-ce que c'est soldé ?

Do you take credit cards?

Acceptez-vous les cartes de crédit ?

I'll pay in cash.

Je paie en espèces.

Can I get a student discount?

Est-ce qu'il y a une réduction pour les étudiants ?

En Grande-Bretagne et aux États-Unis, une carte d'étudiant internationale peut s'avérer très utile pour bénéficier de réductions — La seule carte de lycéen ou d'étudiant ne suffit pas.

DANS LES FAITS

On utilise beaucoup les cartes de crédit et les cartes bancaires aux États-Unis, ainsi qu'en Grande Bretagne. Les cartes de crédit sont acceptées dans presque tous les magasins de vêtements, surtout ceux des grandes chaînes. Il n'en va pas de même dans les restaurants : les établissements chics accepteront les cartes de crédit, mais dans les restaurants plus modestes il faudra généralement payer en espèces. On trouve bien sûr de nombreux distributeurs automatiques aux Etats-Unis, et il n'y a pas d'âge minimum pour posséder une carte de crédit ou une carte bancaire, mais très peu de jeunes en possèdent une avant d'aller au "college". En Grande-Bretagne, l'âge légal pour la possession d'une carte de crédit est 18 ans et 13 pour une carte bancaire.

Mais qu'est-ce que je vais me mettre ?

Les boutiques cools et branchées ne manquent pas, encore faut-il savoir ce qu'on veut mettre !

I want something… Je cherche quelque chose de…
casual. décontracté.
conservative. (Am.) classique.
S'applique plutôt aux vêtements que l'on met pour aller travailler.

smart (Brit.) **/ businesslike.** chic / élégant.
fancy / dressy. raffiné / habillé.
funky. branché / délirant.

Envie d'un style bien personnel ?

– I have got to get something funky for the concert!
Je dois trouver quelque chose de branché pour le concert !

– I think I'm just gonna go cas. (Am.) **/
I think I'm just going to wear something casual.**
Je pense que je vais mettre quelque chose de décontracté.
Notez que "cas", forme abrégée de "casual" se prononce "caj" (et surtout pas "caz", comme dans le français « case »)

.

De vraies bonnes affaires

Des expressions pour de bonnes occasions :

The Gap is having a blow-out! (Am.) /
Gap is having a huge sale! (Brit.) /
The Gap have really slashed their prices! (Brit.)

« Gap » a tout soldé / démarqué au max !

Wow, this shirt is a total steal. (Am.)
Wow, this shirt is a great bargain.

Waou, ce T-Shirt est une vraie affaire.

It's a bit pricey.

C'est un peu chérot.

Un Britannique avouera difficilement qu'un article est trop cher pour lui... À dire donc tout bas à la personne qui vous accompagne, pour ne pas que le magasin tout entier vous entende !

What a rip-off!

Quelle arnaque !

Is that the final price?

C'est le dernier prix ?

I'll give you twenty.

Je vous en donne vingt.

Pour les initiés

Envie de négocier les prix ? Dans les grands magasins comme dans les petites boutiques chics, inutile d'essayer ! Vous aurez par contre plus de chance sur les marchés aux puces ou dans les petits magasins spécialisés. À l'attaque !

7 La mode

*P*longez-vous dans les expressions et les bons conseils de ce chapitre pour maîtriser un anglais aussi impeccable que votre style !

Comment papoter en anglais…

✳ Des toutes dernières tendances,

✳ De sa garde-robe,

✳ Du maquillage,

✳ De coiffures de rêve,

✳ De beauté, de chirurgie esthétique, de piercings et de tatouages !

Des fringues, des fringues !

Être bien habillé ne suffit pas – Il faut avoir du style !

These pants* (Am.) **/**
trousers (Brit.) **are…**   Ce pantalon est…
totally in / out right now.   super mode / complètement out.
way hip. (Am.)   vraiment branché.
cool.   cool.
all the rage this season.   super tendance / fashion.
the latest thing. (Am.)   la dernière mode / tendance.
totally 10 minutes ago. (Am.)   complètement out / ringard
                                          Littéralement : « totalement passé
                                          de mode depuis 10 minutes » !
totally last season. (Brit.)   complètement out.
                                          Littéralement : « complètement
                                          de la saison dernière » !
"retro".   rétro.

En anglais britannique, il faudra toujours préférer une
formule polie et indirecte pour donner votre avis, par égard
pour son interlocuteur. Une réponse vague sera toujours
mieux reçue ("I like that colour") qu'une réponse certes
franche, mais brutale, voire blessante (comme "It makes
your bottom look huuuge!", c'est-à-dire « ça te fait un
derrière énooorme ! »).

Michelle…   Michelle…
is a great dresser. (Am.)   s'habille chic.
is really stylish.   a vraiment du style.
is super fashionable.   est très fashion.
is totally trendy.   est totalement tendance.
is very well-dressed.   est super bien habillée.
has no fashion sense. (Am.)   n'a aucun flair pour la mode.
has no dress sense. (Brit.)   n'a aucune idée de comment s'habiller.

* Attention aux faux amis ! En Grande Bretagne "pants" signifie caleçon !

Les dessous de la mode !

Détailler toute sa garde-robe…"in English" !

a bra
un soutien-gorge

a halter-top
un dos-nu

a bikini
un bikini

panties
culotte

**a padded bra /
a push-up bra**
un soutien-gorge
à effet
pigeonnant

a thong
un string

a purse / pocketbook / handbag
un sac à main

slippers
pantoufles / chaussons

a jacket / blazer
une veste

a baseball cap
une casquette

jeans
un jean

glasses
des lunettes

a T-shirt
un T-shirt

briefs
un caleçon

**a backpack /
rucksack**
un sac à dos

a sweater / jumper
un pull

shoes
des chaussures

Fagoté comme l'as de pique...

Un copain a des fringues pas possibles ? Voici comment le dire :

Tom's outfit	Les fringues de Tom sont
is totally…	complètement / vraiment…
tacky.	nazes.
flashy.	flashy / voyantes.
cheesy.	ringardes.

What is that about?!! (Brit.) / **What's up with that?!** (Am.)
C'est quoi ce truc ?!

Désignez en même temps le vêtement visé !

Lancez la mode !
– Tom, what are you wearing? That is so tacky!
Mais qu'est-ce que t'as mis ! C'est vraiment ringard / naze !
– Whatever, I think it's cool.
N'importe quoi, moi je trouve ça cool.

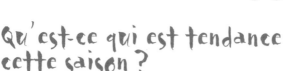

Qu'est-ce qui est tendance cette saison ?

Pour être vraiment "in", sachez au moins nommer les essentiels d'une garde-robe actuelle :

… are totally hot this season.	… sont complètement fashion cette saison.
Boot-cut jeans	Les jeans pattes d'eph
Low-rise jeans	Les jeans taille-basse
Capris (Am.) / **Cropped trousers** (Brit.)	Les corsaires
Mini skirts	Les mini-jupes
Halters	Les dos nus
Tube tops (Am.) / **Boob tubes** (Brit.)	Les bustiers tubulaires

Pour les initiés

En Grande Bretagne, on peut trouver des "charity shops" à de nombreux carrefours. Ce sont des magasins de troc d'associations caritatives. Incroyable mais vrai, on peut y trouver des vêtements très tendance !

Dans la salle de bains

La touche finale, le grand style : comment nommer en anglais tous ces ustensiles absolument nécessaire au maquillage et à la beauté du corps !

Pour vous messieurs…

I need…	Il me faudrait / J'ai besoin d'un / une…
a loofah.	éponge végétale / loufa.
some body wash / shower gel.	gel douche.
a razor.	rasoir.
hair gel / hair spray.	gel coiffant.
some lotion (Am.)	lotion.
some moisturiser. (Brit.)	crème hydratante
some cologne (Am.) ♂ /	
aftershave. (Brit.) ♂	un après-rasage.

Et pour vous mesdames…

Do you have…?	Avez-vous un / une… ?
an eyelash curler	recourbe-cils
tweezers	pince à épiler
a make-up brush	pinceau
a tampon	tampon
a pad (Am.) / **sanitary towel** (Brit.)	serviette hygiénique
some perfume	du parfum

Faites-vous dorloter… !

Comment dire qu'on aimerait se faire du bien et prendre soin de soi…
en anglais ! Parce qu'on le vaut bien…

I'd like to schedule a…	J'aimerais prendre un rendez-vous pour un / une…
facial.	soin du visage.
manicure.	manucure.
pedicure / pedi.	pédicurie.
massage.	massage.
I'd like a bikini wax.	Je voudrais une épilation du maillot.

Bien dégagé autour des oreilles

Comment se faire faire une coupe stylée en anglais :

I need a new do! (Am.) / **I need a new style.** (Brit.)
J'ai besoin d'un nouveau look !
"Do" vient du mot "hairdo" (« coiffure »).

Where can I find a good salon (Am.) / **hairdressers** (Brit.) /
beautician? (Brit.)
Où est-ce que je peux trouver un bon salon de coiffure ?
En Grande-Bretagne, un salon de coiffure pourra en général
s'occuper de vos ongles en plus de vos cheveux, et il n'est pas
rare qu'un salon de beauté lui soit associé.

I want to dye my hair.
Je veux faire colorer mes cheveux.

I want to go blonde!
Je veux devenir blonde !

I'd like some highlights.
J'aimerais des mèches / un balayage.

I need a cut.
J'ai besoin d'une coupe.

I don't want bangs. (Am.) **/ I don't want a fringe.**(Brit.)
Je ne veux pas de frange.

Let's do a face-frame. (Am.)
Je voudrais quelque chose qui m'encadre bien le visage.

Can you put in layers all over please? (Brit.)
Pouvez-vous me faire un dégradé ?

I like that boy with	
the… hair.	Ce garçon avec les cheveux… me plaît.
curly	bouclés
black	noirs
brown	châtains
dirty-blonde	blond foncé
red	roux

Oh, the guy with the dreads is hot!
Wow, le mec avec les dreads est canon.

That… is cute!	Cette… est mignonne !
Blonde	blonde
red-head	rouquine
brunette	brune

Pour les initiés

La chirurgie esthétique est très en vogue aux États-Unis et de nombreux "reality shows" montrent les spectaculaires opérations de personnes qui se font complètement remodeler le corps. Le sujet est par contre complètement tabou en Grande Bretagne, et l'avis des Britanniques sur la question pourrait se résumer ainsi : "Fantastic, made of plastic" (« superbe, mais en toc ») ou "I don't like Barbie dolls" (« j'aime pas les poupées barbie »).

chapitre 7

Chirurgie, piercings, tatouages

Les fringues ne font pas tout – La mode est aussi une affaire de corps!

Have you had any plastic surgery?
Tu as eu des interventions esthétiques?

I had…	Je me suis fait (re)faire…
a boob job.	les seins.
a nose job.	le nez / une rhinoplastie.
lipo.	liposuccion.

Forme courte de l'anglais "liposuction".

She got…	Elle s'est fait faire…
a tummy tuck.	une abdominoplastie
a face-lift.	un lifting
I use botox.	J'utilise du botox.

He has a pierced…	Il s'est fait un piercing dans le / la…
belly button.	nombril.
eyebrow.	sourcil.
nose.	nose.
tongue.	langue.
nipple.	téton.

What an awesome tattoo!
Waouw, quel tatouage impressionnant!

Il faut souffrir pour être beau: piercings et tatouages sont depuis plusieurs années des incontournables de la mode en Grande-Bretagne et aux Etats-Unis, chez les jeunes comme chez les moins jeunes.

Le corps 8

*L*a vérité toute nue sur le corps, ses parties et ses fonctions…

✱ *Jambes fines, ventre plat, fesses sexy, belle poitrine, etc...,*
✱ *Beurk! Tout ce qui est crade, du rot au pet!*

chapitre 8

The perfect body...

Voici comment parler des corps en anglais,
les beaux comme les moins beaux...

Katie has...	Katie a...
a great body.	un joli corps.
long legs.	de longues jambes.
a nice rack. (Am.)	une belle devanture
great jugs.	de gros melons.
great pups. (Brit.)	de gros lolos.

"Pups" vient du mot "puppies", « chiots » au sens premier.

eggcups. (Brit.)	de petits tétés.
a nice ass. (Am.)	un joli cul.

Kevin has...	Kevin a...
a cute butt (Am.) **/ a nice ass.** (Am.)	un joli cul.
great pecs.	des supers pectoraux.
a nice package.	un joli morceau / un beau paquet.

Kevin is well hung.
Kevin est bien gaulé.

Chris is totally ripped. (Am.)
Chris est vraiment baraqué.

Look at his pecs!
Regarde un peu ses pectoraux !

Bob is really buff. (Am.)
Bob est bien balancé.
Littéralement : « Bob est taillé dans le cuir »

Tom has a six-pack.

Tom a des tablettes / carrés de chocolat.

Même s'il est question de "six-pack" («pack de bières»),
il ne s'agit pas pour autant d'un ventre à bière ! Les abdos
qui ressemblent pour nous à des tablettes de chocolat,
ressemblent pour les anglophones aux packs de 6 canettes
de bière !

Becky's a 10.

Elle est parfaite / elle a dix sur dix.

L'attribution d'une note de 1 à 10 est un mode d'appréciation
communément utilisé entre amis, que ce soit pour parler
d'une personne ou de tout autre chose.

Mark…	Mark…
has a beer gut / belly	a un ventre à bière.
has love handles.	a des poignées d'amour.
has rolls (Am.) **/ has tyres.** (Brit.)	a une bouée.

Des pneus en anglais…

is bald.	est chauve.
is short.	est petit.
has man boobs.	a de la poitrine.

Amanda is totally flat.

Amanda est complètement plate.

Jenny is flat as a pancake. (Brit.)

Jenny est plate comme une limande / une planche à repasser.

Plate comme une poêle à frire en anglais…

Let's go to the gym. I don't want saddlebags!

Allez, on va à la salle de gym, je ne veux pas de culotte de cheval !

Michelle is a butter-face. (Am.)

Michelle est bien mais a une tronche à faire peur.

L'expression vient de "but her face", c'est à dire
« sauf le visage » (elle est bien, mais des pieds aux épaules,
pas au-dessus !)

Nice from far, but far from nice. (Brit.) /
Good from far, but far from good. (Am.)
Belle de loin mais loin d'être belle.

NON CENSURÉ

Wow, she's got great...	Waou, elle a de joli(e)s...
tits.	nichons.
knockers. / hooters (Am.)	nibards.
jugs.	melons.
boobs.	tétés.
puppies.	lolos.

I heard in the movie (Am.) /
film (Brit.) **they actually show his...**
Il paraît que dans le film on montre son / sa... pour de vrai.

shlong (Am.)	bite
dick	bite
cock	queue
willie (Brit.)	zizi

She kicked him right in the balls.
Elle lui a donné un coup de pied direct dans les couilles.

**Her skirt was so short you could totally see
her ass** (Am.) / **bum.** (Brit.)
Sa jupe était si courte qu'on pouvait facilement
voir ses fesses.

Cours d'anatomie

Les morceaux qu'il faut savoir nommer !

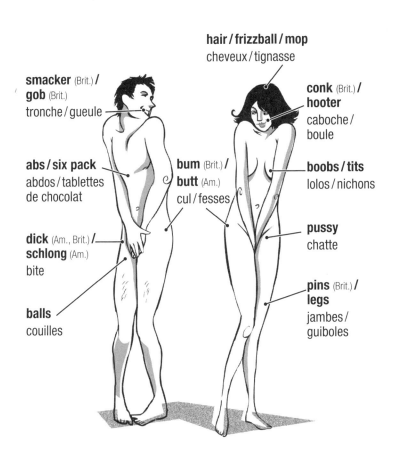

hair / frizzball / mop
cheveux / tignasse

smacker (Brit.) /
gob (Brit.)
tronche / gueule

conk (Brit.) /
hooter
caboche /
boule

abs / six pack
abdos / tablettes
de chocolat

bum (Brit.) /
butt (Am.)
cul / fesses

boobs / tits
lolos / nichons

dick (Am., Brit.) /
schlong (Am.)
bite

pussy
chatte

balls
couilles

pins (Brit.) /
legs
jambes /
guiboles

chapitre 8

Petits désagréments...

Même quand on a un corps parfait, on échappe pas à ce genre de choses :

Oh crap! I have…   Oh merde! J'ai un/des…
a zit.   bouton.
blackheads.   point noirs.
stinky breath.   l'haleine qui pue/Je pue de la gueule.
b.o.   Oh merde, je pue !

"b.o." est l'abréviation de "body odour".

Fonctions corporelles

Beurk! Dégueu! Crade! Comment ça se dit en anglais ?

I have to pee. Il faut que je pisse.

I need to go to the little girl's room/little boy's room. (Brit.)
Je dois aller au petit coin.

Plutôt utilisé par les filles que par les garçons.

I need to go to the loo. (Brit.)
Je dois aller aux waters/toilettes.

I have to piss./I have to take a piss. 🖋
Il faut que je pisse/Je dois pisser.

I have to piss like a racehorse. (Am.) 🖋
Faut que j'aille pisser comme le putois qui vient de s'enfiler
un tonneau de bière.

Littéralement en anglais :
« il faut que je pisse comme un cheval de course ».

I need to take a slash. (Brit.) ♂ 🖋 **/I have to drain the lizard.** (Am.) ♂
Je dois pisser un coup/faire pleurer le colosse.

I have to poop. Je dois faire caca.

I have to go number two. Je dois faire la grosse commission.

DANS LES FAITS

Pour dire qu'une personne est aux toilettes, on dira "in the toilet" en anglais britannique et plutôt "in the bathroom" en anglais américain.

I have to take a crap. Je dois chier.

I have to take a shit. Je dois chier.

Beurk !

Expressions sales pour de vilaines choses…

Someone farted!
Quelqu'un a pété !

Someone ripped one. (Am.)
Quelqu'un a lâché les gaz.

Someone just let one off. (Brit.)
Quelqu'un a lâché une perlouse.

John burped.
John a roté.

Stop picking your nose!
Arrête de te fourrer les doigts dans le nez !

Nasty! You have a booger. (Am.)
Beurk ! T'as une crotte de nez.

Yuck! You have a bogie / a greener hanging out your nose. (Brit.)
Beurk ! Je peux voir tes crottes de nez / T'as de la morve qui pend.

Eew! Brian threw snot at me!
Pouah ! Brian a lancé de la morve sur moi !

Hold still, you've got some eye boogers (Am.) **/
eye gook** (Am.) **/ sleep** (Brit.) **/ gunk.** (Brit.)
Bouge pas, t'as une saleté dans l'œil / tes crottes aux yeux.

Restez dignes…

– You've got a little booger. (Am.) /
I would wipe your nose. (Brit.)
Tu as une petite crotte de nez /
Tu devrais te moucher le nez.
– Oh nasty! How embarrassing!
Beurk ! C'est gênant !
– Nah, it's no biggie. (Am.) / **It's no big deal.** (Brit.)
T'inquiète. / C'est pas bien grave /
pas grand chose.

Tu te sens bien ?

Malade ? Voici comment le dire plus précisément :

Ugh, I have…	Beurk, j'ai / je suis…
diarrhea.	la diarrhée.
constipation.	constipé(e).
a stomach ache (Am.) /	
stomach ache. (Brit.)	des maux d'estomac.
a cold.	enrhumé(e).
cramps.	des crampes.
a hangover.	une gueule de bois.

I'm dying!
Je suis malade à crever !

I'm sick as a dog.
Je suis malade comme un chien.

I feel like shit.
Je suis mal foutu / je me sens mal.

La technologie 9

*P*arler informatique en anglais : les ordis, Internet, le chat, etc.
Assurez "on line"!

* La langue du net et le jargon de l'informatique,
* La langue des initiés pour rédiger ses e-mails, parler dans les forums et les chats,
* Tout les mots utiles pour tous ceux atteints de téléphonite aiguë,
* Les meilleures abréviations pour les SMS.

Pro du mulot

L'informatique pour les nuls – et en anglais !

Turn on the computer. Allume l'ordinateur.

Is it a PC or a Mac? Est-ce un PC ou un Mac ?

Can I check my e-mail? Puis-je vérifier mon mail ?

I'm on-line. / I'm on the web.
Je suis en ligne. / Je suis connecté au Net.

Open that folder. Ouvre ce fichier.

Close that program. Ferme ce programme.

*En anglais britannique "a program" est un programme
informatique, dans tous les autres cas, un « programme »
s'écrit "a programme". En anglais américain « programme »
s'écrit toujours "program".*

Click on the icon.
Clique sur l'icône.

Did you bring your laptop?
T'as apporté ton ordi portable ?

Does this thing have a wireless card?
Y'a le wifi sur ce truc ?

Besoin d'aide ?

– Oh no! I can't open my document!
Merde, j'arrive pas à ouvrir mon doc !
– Here, let me try.
Attends, fais voir / laisse-moi essayer.
– Great, thanks.
Génial, merci.

À l'aide, mon ordi a planté !

Petit problème technique ? Voilà comment décrire les symptômes en anglais :

My machine…	Mon ordinateur…
froze.	s'est figé / planté.
shut down.	s'est éteint.
crashed.	s'est planté / crashé.
won't start-up.	ne redémarre pas.
This thing…	Ce truc…
has a virus.	a un virus.
is messed up.	est foutu.
is fucked up.	est totalement bousillé.

You'll have to re-boot.
Tu devras redémarrer.

Do you have a USB key?
T'as une clé USB ?

Pour les initiés

Aux États-Unis comme en Grande Bretagne, les villes comptent de nombreux cybercafés bien équipés ainsi que des cafés qui ont le wifi. En Grande Bretagne il y a des ordinateurs avec accès Internet dans chaque bibliothèque municipale, où l'on peut surfer à bon marché.

chapitre 9

Les e-mails

Pas de panique, l'essentiel est sur cette capture d'écran :

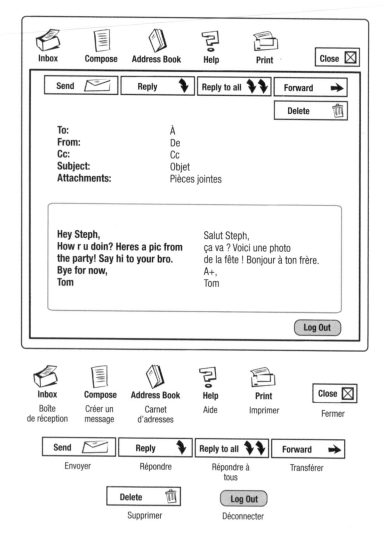

Communication virtuelle

Pour chater et envoyer des mails en anglais :

I love that site.
J'adore ce site.

That page is so cool!
Cette page est vraiment géniale !

Send me that link.
Envoie-moi ce lien.

Do you use IM (Am.) **/ Messenger** (Brit.) **/ MSN?** (Brit.)
Est-ce que tu utilises une messagerie instantanée / le chat / MSN ?

Le programme de chat le plus populaire aux États-Unis est celui d'AOL, c'est celui qu'utilise la plupart des ados. Chez les Britanniques, ce sera plutôt "Instant Messenger" d'Hotmail.

Pour les initiés

Envie d'une aventure virtuelle ? Voici quelques expressions utiles pour draguer sur le Net :

I'm a girl / guy	Je suis une fille / un mec…
looking for a girl / guy…	Je cherche une fille / une nana / un mec…
between xx and xx…	entre xx et xx…
who likes…	qui aime…
Write me at… (Am.) **/**	
Write to me at… (Brit.)	Écris-moi à…

On peut fréquemment trouver l'abréviation "a/s/l" sur un chat, qui signifie "age/sex/location"-(âge/sexe/lieu de résidence).

What's your screenname?
C'est quoi ton pseudo ?

I love to chat!
J'adore chater !

Have you checked out Jeff's blog?
T'as visé le blog de Jeff ?

Les acronymes pour le chat

Les acronymes ? Mais si, vous savez, ces petits raccourcis qui rendent la communication plus rapide et plus amusante sur les chats, sans se soucier de l'orthographe…

Wassup? (Am., Brit.) **/ Sup?** (Am.) **(What's up?)**
Quoi de neuf ? / koid9 ?

How r u? (How are you?)
Ca va ?

Autres exemples parfaits que permet la langue anglaise : "b" oder "c" pour remplacer "be" et "see".

What's ur name? (What's your name?)
Comment tu t'appelles ?

r u goin 2 go out 2night? (Are you going to go out tonight?)
Tu sors ce soir ?

Thnks (Am., Brit.) **/ thxs** (Am., Brit.) **/ ta** (Brit.) **(Thanks)**
Mici / mci / ci / miki. (Merci.)

OK, c u L8R. (OK, I'll see you later.)
OK, A+

Attention, il faut suivre : "C" est pour "see", et "L8R" se décompose en "L", "eight" et "R", c'est-à-dire "later" !

Ces acronymes sont partout et tout le temps utilisés dans les chats anglophones, voici les principaux :

Chat:	Anglais	Français
LOL	**laugh out loud**	mort de rire (MDR).
TTYL	**talk to you later**	à tout à l'heure (@TTE).
TTFN	**ta ta for now** (Brit.)	à plus (A+).
BRB	**be right back**	je reviens tout de suite.
BCNU	**be seeing you**	à plus tard.
TMI	**too much information**	Tu me donnes trop d'infos.
BTW	**by the way**	au fait.
NP	**no problem**	t'inquiète (TKT).
FYI	**for your information**	pour ton information.
WTF	**what the fuck** 🖊	quoi (KOI) ?

Gaston, y'a le téléfon… !

Ça sonne !

Where's my cell? (Am.) / **Where's my mobile?** (Brit.)
Il est où mon portable ?

Hello?
Allô ?

Hi, this is Emily.
Salut, c'est Emily.

Hey, it's Emily.
Salut, c'est Emily.

Is Stephanie there?
Elle est là Stephanie ?

Speaking.
C'est moi-même.

Hold on a sec.
Un instant.
"Sec" est la forme courte de "second".

chapitre 9

SMS

Des messages courts et efficaces !

Where RU? (Where are you?)
Où es-tu ?

Ill b here@5. N U? (I'll be here at five o'clock. And you?)
J'arrive à 5 heures. Et toi ?

Luv u (I love you)
JTM (Je t'aime.)

B4N (Bye for now)
A+ (A plus.)

Pour les initiés

Un des emblèmes britanniques les plus connus au monde est menacé par l'immense du téléphone portable, c'est la célébrissime cabine téléphonique rouge. Forfait longue durée ou cartes prépayées, impossible de vivre sans son portable, en Grande-Bretagne comme aux États-Unis !

Instant Messaging

Encore faut-il maîtriser la langue des initiés…

Slang	Anglais	Français
Yo! Wassup?	**Hi! What's up?**	Salut ! Quoi de neuf ?
Hey. Got	**Hey. I got**	Salut, j'ai reçu
ur pic.	**your picture.**	ta photo.
Thnks.	**Thanks.**	Merci !
No prob.	**No problem.**	T'inquiète.
U goin 2	**Are you going**	Tu vas
Katie's	**to Katie's house**	chez Katie
tonight?	**tonight?**	ce soir ?
Not sure.	**Not sure.**	Pas sûr(e).
C u L8R	**See you later**	A plus tard
mayb.	**maybe.**	peut-être.

10 Ragots et papotages

Parler en bien, en mal, de soi, des amis,
ou de la famille ou comment :

* Parler de ses amis,
* Garder des secrets ou les révéler à tout le monde,
* Parler de sa famille,
* Casser quelqu'un de façon efficace… !

Les vrais amis

Vous avez rencontré des gens vraiment sympas ?
Racontez !

What a sweetheart! (Am.)
Quel ange !
Expression complètement démodée en Grande-Bretagne,
à laisser aux mamies pour ne pas passer pour ringard.

She's a honey. (Brit.)
C'est un amour.

They're sound. (Brit.)
Ils sont réglos.
... Expression pas très en règle au regard de la grammaire !
Les Britanniques emploient en effet souvent le pronom
pluriel "they" au lieu des pronoms singulier "he" ou "she"
pour parler d'une personne.

He's so cool!
Il est si génial !

She's really awesome. (Am.)
Elle est vraiment top.

She's really nice.
Elle est vraiment sympa.
S'utilise aux États-Unis quand on a rien d'autre à dire
au sujet d'une personne. Pas très positif donc... En anglais
britannique par revanche "nice" est un vrai compliment.

He's totally sweet. (Am.) / He's really sweet.
C'est vraiment un ange.

He's my...	C'est mon...
friend.	ami.
buddy. (Am.)	pote.
mate. (Brit.)	pote.
best friend.	meilleur ami.

*Le terme "pal" (« copain », « pote ») s'emploie encore en Grande-Bretagne mais tend à disparaître.
À éviter donc si on veut passer pour vraiment cool.*

Je la hais !

Quand tu ne peux vraiment pas voir quelqu'un en peinture…

He bugs me.
Il m'embête.

She really gets on my nerves.
Elle m'énerve / me tape sur les nerfs.

Brian's such a loser! (Am.)
Brian est vraiment un loser / blaireau / pauvre con !

Rob is such a momma's boy (Am.) **/ a mummy's boy!** (Brit.)
Rob est un vrai fils à maman / une femmelette !

I can't stand Julie.
Je ne supporte pas Julie.

Ragots

Voici de quoi répandre les derniers ragots !

I've got some really juicy gossip.
J'ai quelques ragots croustillants / de dernière minute.

You're not gonna believe this. (Am.) **/ You just won't believe this.** (Brit.)
Tu ne vas pas en croire tes oreilles.

Have you heard the rumors (Am.) **/ rumours?** (Brit.)
T'as entendu les rumeurs ?

Did you hear the latest dish? (Am.)
Tu connais la dernière ?

Have you heard the latest scoop? (Am., Brit.)
/ Have you heard the latest goss? (Brit.)
Tu connais la dernière ?

You'll never guess what!
Tu ne devineras jamais ce qui s'est passé ! / Tu sais quoi ?

Top Secret

Comment s'assurer que votre confident sera muet comme une tombe :

Can you keep a secret?
Tu peux garder un secret ?

Don't tell a soul.
Ne le dis à personne.

Keep this quiet.
Pas un mot là-dessus.

This is on the dl. (Am.)
Tu le gardes pour toi / c'est top secret.
"dl" signifie "down-low" (« secret », « caché »)
– à prononcer « di-el ».

J'le crois pas !

Vous venez d'apprendre une nouvelle trop énorme pour la garder pour vous tout seul ? Alors allez-y et voilà ce qu'on vous répondra :

No way!
Pas vrai !

You're having me on! (Brit.)
Tu me fais marcher !

You're kidding me!
Tu rigoles !

You must be joking!
Tu plaisantes ou quoi !

Unbelievable!
Pas vrai !

Yeh, right!
Ouais, c'est ça…

Shut up! (Am.)
La ferme ! / Ta gueule !

Get out! / Get the hell out of here! (Am.)
Tu parles ! / Fous-moi le camp !

You're shitting me. (Am.)
Tu me prends pour un con.

You're full of it! / You're full of shit!
Arrête tes conneries !

Bullshit!
Mon cul ! / Des conneries !

Bollocks!
N'importe quoi ! / Mon cul !

Littéralement : « couilles ». Cette expression est utilisée aussi bien pour signifier le peu de sérieux et de vérité que vous prêtez aux propos de quelqu'un, ou comme juron (de même que "shit!") pour exprimer votre mécontentement…

— **Tell me the gossip! I can keep a secret.**
Raconte-moi les ragots. Je peux garder un secret.
— **Bob and Jessica broke up.**
Bob et Jessica ont cassé.
— **No way!**
Non ! / pas possible !

Dire du mal

*Médire de quelqu'un, c'est tellement bon ! Voilà comment vous y prendre
pour faire une réputation à votre meilleur(e) ennemi(e) :*

Samantha is…	Samantha est…
a spoiled brat.	une gamine pourrie / gâtée.
a daddy's girl.	une fille à papa.
snobby.	une snob.
stuck-up.	une pimbêche / bêcheuse.
a bitch.	une garce.
a tight-ass. (Am.)	une coincée.
Mike is…	Mike est…
a weirdo	un zozo / zigoto.
a dumb jock. (Am.)	un abruti de sportif.
a freak.	une espèce de taré / barjo.
an asshole. (Am.)	un connard.
a prick.	un salaud.
a wanker. (Brit.)	un branleur.

*Mais pour dire vraiment du mal de quelqu'un,
prenez-vous en à ses capacités intellectuelles :*

You're such…	T'es vraiment…
an idiot.	un imbécile.
a numpty. (Brit.)	un(e) nigaud(e).
a blonde. (Brit.)	un(e) blond(e).
a moron.	un crétin.
a special. (Brit.)	un(e) allumé(e).
an airhead. (Am.)	un(e) évaporé(e).
a nitwit.	un andouille.
a dumbass.	un con.
a numbnuts. (Am.)	un couillon.
a fucking idiot.	un imbécile de merde / un putain d'imbécile.

You've lost the plot. (Brit.)
Tu perds la boule !

You really don't have a clue.
T'es vraiment à côté de la plaque.

Grosse colère

En rogne ? Allez-y, laissez libre cours à votre colère :

I'm furious!
Je suis furieux(se).

I'm gonna kill her. (Am.) **I'm goin' t' kill her.** (Brit.)
Je vais la tuer.

I can't stand him.
Je ne le supporte pas.

I'm so pissed. (Am.) / **I'm so pissed off.**
Cela me fait vraiment chier.

En anglais britannique "to be pissed",
sans le "off", signifie que l'on est « complètement bourré ».
Attention à l'importance de ce petit "off" donc !

He pisses me off.   Il me fait chier.

You startin'? (Brit.)   Tu me cherches ?

Dry your eyes. (Brit.)   C'est pas la peine de pleurer.

Keep cool

Si vous avez un ami pour lequel ça ne va pas fort,
essayez de le réconforter un peu avec, par exemple, ces expressions :

Calm down. He's / She's not worth it.
Laisse tomber. Elle ne le vaut pas.

Settle petal. (Brit.)
On se calme chéri(e).

Chill the beans. (Brit.)

Calme-toi/T'excite pas.

Littéralement: « rafraîchis les haricots ». Les haricots ("beans") donnent des ballonnements, et quand on est vraiment en rogne, on est "full of hot air" (« plein d'air chaud »), comme disent les Britanniques…

Don't sweat him. (Am.) / **Forget about him.**

Te casse pas la tête pour lui./Oublie-le.

Count to ten.

Allez, on respire.

Take a chill pill.

Reste cool (Raoul !)

Fuck him/her. 🖊

Arrête tes conneries !

Je l'emmerde/Qu'il/elle aille se faire foutre.

NON CENSURÉ

Un choix d'insultes classiques – À utiliser avec beaucoup de précautions avec les Britanniques, pour qui la politesse a son importance !

Dumbass! 🖊 con !

Jackass! 🖊 imbécile !

Fuckwit! (Brit.) 🖊 andouille !

You're a shithead. 🖊 T'es un vrai salaud.

Retard! (Am.) 🖊 Débile !/Handicapé !/Gogol !

"Retard" vient de "retarded" (handicapé physique ou mental). Assez bas et mesquin comme insulte donc…

NON CENSURÉ

... un degré au-dessus dans l'amabilité :

Up yours! (Am., Brit.) / **Shove it!** (Am., Brit.)
Je t'emmerde ! / Va te faire enculer !

Go to hell!   Va te faire foutre !

I don't give a shit.   Je m'en fous.

Bite me. / Eat me. (Am.)   Va te faire voir !

Fuck you!   Va te faire foutre !

La chère famille

Comment présenter sa famille en anglais :

My... is a great guy.	Mon... est un type génial.
Dad	père / papa
step-dad	beau-père

Il s'agit ici du compagnon de la mère.

big brother	grand frère
baby brother / kid brother	petit frère
step-brother	demi-frère

Il s'agit d'un demi-frère par alliance, sans lien de sang.

half brother	demi-frère

Il s'agit d'un demi-frère avec lequel on a un parent commun.

cousin ♂ ♀	cousin

My… is so sweet (Am.) **/ nice.**   Ma… est si gentille.

Mom (Am.) **/ Mum** (Brit.)   mère / maman

step-mom (Am.) **/**

step-mum (Brit.)   belle-mère

Il s'agit ici de la compagne du père.

big sister   grande sœur

baby sister / kid siste   petite sœur

step-sister   demie-sœur

Il s'agit d'une demi-sœur par alliance, sans lien de sang.

half sister   demie-sœur

Il s'agit d'une demi-sœur avec laquelle on a un parent commun.

NON CENSURÉ

Pour proprement insulter un Britannique ou un Américain, prenez-vous en à sa famille – Dans les cas d'urgence seulement ! L'éditeur dégage toute responsabilité quant aux réactions que cela peut déclencher…

You're a son of a bitch. (Am.) **/ You son of a bitch.** 🌶

Fils de pute !

You're a bastard. 🌶   Salaud !

Your mom's a milf. (Am.) 🌶   Je baiserais bien ta mère.

"Milf" est un acronyme pour "Mom I'd Love to Fuck", expression qui popularisée par le film "American Pie".

Your cousin's a bitch. 🌶   Ta cousine est une vraie garce

Your sister's a slut. 🌶   Ta sœur est une pute.

Manger

*P*arler bouffe en anglais, mais pas la bouche pleine !

* Tout le vocabulaire et les expressions utiles pour les grosses dalles et les soifs d'enfer,
* Les fast-foods & Co.,
* Les troubles de la digestion et comment se comporter à table.

L'appel du ventre !

Que dire quand on est affamé :

I'm famished!
J'ai la fringale !

I'm starved. / I'm starving.
Je crève de faim.

I'm dying of hunger / thirst!
Je suis mort de faim / de soif !

I've (Brit.) **/ I have** (Am.) **a craving for ice cream.**
J'ai grande envie d'une glace.

I want to pig out! (Am.) **/ I feel like pigging out!** (Brit.)
J'ai envie de me goinfrer / baffrer !

Sortir manger

Là où votre estomac vous guide…

Let's go to…	Allons…
a diner. (Am.)	au resto / au "diner".

Type de restaurant simple et traditionnel, comme on en trouve partout dans les États du Nord-Est des États-Unis principalement.

a coffee shop.	au / dans un café.
a fast food joint (Am.) **/**	
fast food place.	dans un fast food.
a café.	au / dans un café.
a caff. (Angleterre)	au café.

À dire lorsque l'on veut tout simplement aller prendre un café ou un thé au café du coin (les "caffs" ne servent en général que des boissons non alcoolisées de type café, thé et sodas, alors que le pub sert de la bière, du cidre, etc.)

a restaurant.	dans un restau.

Let's go to a fish and chip shop. (Brit.) / **a chipper.** (Écosse) /
a chippie. (Écosse) / **a fish shop.** (Angleterre)
Allons dans un "fish and chip".

Le "Fish and Chips" (le poisson frit enduit d'une pâte et servi avec des frites) du vendredi soir reste une grande tradition britannique, et les noms pour désigner les établissements où on peut l'acheter à emporter où le consommer sur place sont nombreux et varient selon les régions.

Should we get take-out? (Am.) / **Shall we get a take-away?** (Brit.)
On se prend quelque chose à emporter ?

I wanna order in. (Am.) / **I want to get a take-away.** (Brit.)
Je me ferai bien livrer quelque chose.

Ras-le-bol de la "junk food" ? Vous pourrez toujours essayer ceci :

Let's get...	Mangeons / Commandons...
Italian.	de l'italien.
Chinese.	du chinois.
Mexican.	du mexicain.
Thai.	du thaï.
Indian.	de l'indien.
pizza.	des pizzas.

Wanna grab a bite? (Am.) / **Do you want to grab something to eat?**
Tu veux manger un morceau ?

Pour les initiés

Les ados américains sont accros à la "World Food" et fréquentent énormément les restaurants japonais, thaïlandais, indiens et grecs. Chez les Britanniques la cuisine internationale est aussi en vogue. On préfère les plats exotiques aux repas traditionnels tels que le roast-beef, le yorkshire pudding ou le haggis (la fameuse panse de brebis farcie écossaise) ! Le curry indien est désormais un plat national et Glasgow en est même la capitale !

Fast-food

Comment passer sa commande rapido dans un fast-food

I'll get the combo. (Am.)
Je prends le menu.
*Les "Combos" sont les menus qui comprennent burger,
frites et boisson dans les chaînes de fast-food américaines.*

I'll get the jumbo sausage meal. (Brit.)
Je prends le menu avec les maxi-saucisses.
*Les menus sont des "meals" en Grande-Bretagne.
Les boissons sont généralement à commander à part.*

My little brother wants a happy meal.
Mon petit frère veut un "happy meal".

I'm starving. Get the twelve-piece nuggets!
Je crève de faim. Commande les nuggets à douze morceaux.

Which soda do you want? (Am.) /
Which fizzy drink do you want? (Brit.)
Qu'est-ce que tu veux boire ? / Tu veux boire quel soda ?

It's raining. Let's go to the drive-thru.
Il pleut. Allons au drive-in.

I'll have a fish supper, please. (Brit.)
Je prends le plat de poisson, s'il vous plaît.
*Plat en général composé d'un "fish and chips" accompagné
de petits pois.*

La grande bouffe

Déjà rassasié ? Mais le repas n'est pas encore fini…

I'm so full.
J'en peux plus. / Je suis plein comme un boudin.

I'm stuffed. J'suis gavé.

I couldn't eat another bite.   J'en peux plus.

I'm gonna explode! (Am.) / **I'm goin' to explode! (**Brit.) /
I'm about to burst!
Je suis sur le point d'exploser !

That food…	Cette nourriture / bouffe…
didn't agree with me.	ne m'a pas réussi.
didn't sit too well. (Am.)	n'est pas passée.

I think I'm gonna (Am.) /	
need to (Brit.)**…**	Je pense que je vais…
throw up.	vomir.
be sick.	vomir.
puke.	gerber.
hurl.	dégobiller.
barf.	dégueuler.
ralph. (Am.)	gerber
spew. (Brit.)	fuser.
chuck.	dégueuler.
bow down to the porcelain	
god. (Brit.)	aller gerber aux chiottes.

DANS LES FAITS

En dépit de la grande mode de l'alimentation saine et des cuisines exotiques, et notamment asiatique, les Américains aiment toujours leurs fast foods. Les Mac Do, Burger King, Wendy's ou Taco Bell se trouvent presque à chaque coin de rue aux États-Unis – même dans les petites villes et à la campagne. Les Britanniques optent quant à eux plutôt pour les Pizza Hut, Kentucky Fried Chicken tout en restant fidèles aux traditionnels "Fish and Chips". On y sert des frites bien grosses, accompagnées de vinaigre et de sel, d'une sauce barbecue ou de ketchup. Un Britannique ne mettra jamais de la mayonnaise sur ses frites ! Les frites fines telles qu'on les connaît en France s'appellent justement des "french fries" en Grande Bretagne, et elles ne sont servies que dans les chaînes de fast-food américains.

Comment se tenir à table...

Votre entourage ne sait pas se comporter à table ?

Mike is a pig.
Mike est un porc / un goinfre.

Todd eats like a horse.
Todd mange comme un ogre.

Peter always stuffs his face.
Peter s'empiffre tout le temps.

Julie eats like a bird.
Julie ne mange pas, elle picore.
Littéralement : « elle mange comme un oiseau ».

Diana is anorexic.
Diana est anorexique.

Jamie is bulimic.
Jamie est boulimique.

Allergies

Mieux savoir dire ce qu'on ne peut ni ne doit manger avant de commencer le repas :

I'm allergic to peanuts.
Je suis allergique aux cacahuètes.

Shellfish makes me puke. / Shellfish gives me hives.
Les fruits de mer me font gerber / me donnent des urticaires.

I'm lactose intolerant.
J'ai une intolérance au lactose.

I don't eat meat.
Je ne mange pas de viande.

Vegetarians are cool!
Les végétariens sont géniaux !

12 vie nocturne

*É*clatez-vous "in English"!
    Toutes les expressions branchées pour…:

* Faire la fête et faire chauffer la piste,
* Picoler et en assumer les conséquences,
* Comprendre le langage codé des amateurs de fumée…

On fait la fête !

Des expressions pour faire la fête toute la nuit :

Let's party tonight! (Am.) / **Let's go partying!** (Brit.)
On fait la fête ce soir !

*Que ce soit pour aller dans un bar ou pour aller
en boîte, cette formule est valable dans tous les cas,
l'essentiel étant : « on s'éclate ! »*

Stacy wants to go clubbing.
Stacy veut aller en boîte.

*Attention, le mot "disco" pour la boîte de nuit
est complètement "out" en anglais.*

Let's go throw some shapes. (Brit.)
Allons faire un tour de piste.

We're going to the bars. (Am.) / **We go bar hopping.** (Am.) /
We're going to hit the bars.
On va faire la tournée des bars.

*Le "bar" en anglais désigne non seulement le lieu, le bar,
mais aussi le comptoir. Rappelez-vous qu'en Grande-Bretagne,
on commande soi-même ses boissons au comptoir, et on les
paie avant de consommer.*

We're off on a pub crawl. (Brit.)
On va faire la tournée des pubs / bars.

Let's just hang out tonight. (Am., Brit.) /
Let's just laze around tonight. (Brit.)
Et si on restait peinard ce soir. / Et si on glandait un peu ce soir.

*"Just hanging out" désigne à peu près tout ce qu'on peut
faire chez soi sans se stresser ni trop s'activer (regarder
la télévision, boire un verre, etc.).*

We just hung around together. (Brit.)
On a juste glandé un peu ensemble.

I just want to veg out tonight.

J'ai juste envie de glander ce soir./Ce soir j'ai envie de rien faire.

"To veg out": une envie de végéter, quoi.

L'embarras du choix...

– Why don't we just hang out tonight?

Si on restait peinard à la maison ce soir ?

– No way. I want to go clubbing!

Pas question. Je veux aller en boîte !

We're going to a… bar.	On va dans un…
dive (Am.)	tripot/boui-boui.
college (Am.)	bar étudiant.
martini (Am.)	bar à cocktails.

Pour les Américains, un "martini" est un cocktail à base de gin ou vodka + vermouth, et non la fameuse marque d'alcool.

sports (Am.)	bar pour sportifs.

Les Britanniques distinguent bien les différents types de pubs dans lesquels ils se rendent: on appellent les pubs tout simplement par leur nom (par exemple "The Stag", "Skinners", "The Burnett Arms", etc.), ou bien, s'il s'agit d'un lieu de rendez-vous régulier, il s'agit alors de "the local", et s'il s'agit d'un pub fréquenté essentiellement par des hommes, ce sera alors un "old mans pub".

Pour les initiés

Aux États-Unis, il est interdit de consommer de l'alcool et de rentrer dans certains bars avant l'âge de 21 ans. Les clubs "18 and up" remédient à la chose et acceptent les mineurs à partir de 18 ans. Dans certaines, il existent même des "teen clubs" ouverts à tous. On y sert bien sûr pas de boissons alcoolisées.

En Grande Bretagne, la consommation d'alcool est autorisée à partir de 18 ans, ainsi que l'entrée dans la plupart des pubs, bars et discothèques. Il y a encore cependant quelques rares établissements qui exigent l'âge de 21 ans pour pouvoir y entrer. Il y a encore peu, l'heure de fermeture des pubs était 23 heures, hormis quelques exceptions à Edinburgh. Mais depuis l'automne 2005 le gouvernement britannique a ratifié une nouvelle loi permettant une ouverture des pubs plus tardives.

Contrôle d'identité

Can I see some ID?
Papiers d'identité s'il vous plaît.

Molly got carded! (Am.) / Molly got IDed! (Brit.)
Molly a été contrôlée ! / On a demandé à Molly de montrer sa carte d'identité !

"IDed" se prononce comme "I deed".

I'm underage.
Je suis mineur(e).

L'âge de la majorité est de 21 ans aux États-Unis et de 18 ans en Grande-Bretagne.

Is there a minimum age?
Il y a un âge minimum ?

Tchin !

Que dire quand on lève son verre ?

I want to drink tonight! (Am.) / I want to get pissed tonight! (Brit.)
J'ai envie de boire / de me soûler ce soir !

Christie is doing shots! (Am., Brit.) / Christie is taking shots! (Brit.)
Christie boit / s'enfile des shots / des alcools !

L'expression consacrée est "I did shots" pour dire que l'on a bu de l'alcool. Pour être plus précis, il faut alors dire ce que l'on a bu comme alcools.

Do you want a…? (Am., Brit.) /
How are you for a…? (Brit.) Tu veux un(e)… ?

drink	verre
beer	bière
martini	cocktail (aux États-Unis) / martini (en Grande-Bretagne)
cosmo	Cosmopolitan
G and T	gin tonic
pint (Brit.)	pinte
L I T (Am.)	Long Island Iced Tea

Do you want some brew? (Brit.)
Envie d'une mousse ?

It's your round.
C'est ta tournée.

No thanks, I'm the DD.(Am.) / **No thanks, I'm driving.** (Brit.)
Non merci, je conduis.

*"DD" est l'abréviation de "designated driver",
expression qui désigne celui qui ne boit pas et ramène tout
le monde à bon port sains et saufs en fin de soirée.*

Effets secondaires

Quand ça commence à tanguer un peu…

Those drinks are strong, I feel kinda buzzed. (Am.)
Ces boissons sont balaises, j'suis un peu allumé(e).
*Attention, en Grande-Bretagne, "buzzed"
ne s'emploie que lorsqu'on a pris des drogues.*

Wine always makes me tipsy.
Le vin me fait toujours tourner la tête / me rend toujours pompette.

Fraser is totally k.o.ed. (Brit.) Fraser est complètement KO.

We got totally sloshed last Saturday.
On était pété à mort samedi dernier.

Steve is totally drunk! Steve est complètement ivre / bourré.

Tom was totally hammered on Tuesday!
Tom était complètement défoncé mardi dernier.

They went out Friday night and got pissed. (Brit.)
Ils sont sortis vendredi soir et ils ont pris une cuite.

John was totally bleezin'. (Brit.) John était complètement rond.

**There was so much booze at the party that I was totally
legless by the end of it.** (Brit.)   Y'avait tellement de picole à la fête
et j'étais complètement défoncé / torché / naze à la fin.

Sally was totally minced. (Brit.) Sally était complètement bourrée.

She was totally rat-arsed. (Brit.) 🖊   Elle était complètement torchée.

Lucy got so pissed she was anybody's. (Brit.)
Lucy était si cuite, elle aurait couché avec n'importe qui.

Lauren was smashed last night. (Am.) Lauren était blindée hier soir.

I only dance when I'm wrecked. (Am.) **/ I only dance when I am
out of it.** (Brit.)   Je ne danse que quand je suis dans les vapes.

I'll drive home tonight, I'm completely sober.
C'est moi qui conduit ce soir, je suis tout à fait net / sobre.

Pour
les initiés

En Grande Bretagne, il est «cool» d'ingurgiter un maximum, et les Britanniques ont tendance à exagérer un peu quand ils vous racontent leurs exploits lors de la dernière beuverie.

Dans les bistrots américains, dans les "sports bars" et dans les pubs britanniques, on boit en général de la bière. Dans des endroits plus chics on préfère le vin ou les cocktails, mais les habitudes étant ce qu'elles sont, la bière y est aussi bien sûr consommée. Attention les mecs! Commander des drinks un peu trop fruités ou sucrés dans certains bars pourrait vous attirer des sarcasmes ou des propos déplacés : par exemple, entendre votre consommation qualifiée de "poof juice" («jus de gay») ou "for girls".

Un verre ça va, deux verres...

Un verre, deux verres, trois verres...

Peter drinks like a fish.
Peter boit comme un trou.

Tony just hates to drink. (Brit.)
Tony déteste boire.
À prononcer avec une ironie à peine masquée... !

Mike is such a lush. (Am.)
Mike est un vrai soûlard.

That's it, you're cut off. (Am.) **/ You've had enough./
You've had too much!**
Ca suffit pour aujourd'hui !

Marie is a drunk. (Am.) **/ Marie is an alchie.** (Brit.)
Marie est une ivrogne.

Le lendemain...

Ugh, I've (Brit.) **/ I have** (Am.) **such a hangover.**
Berk, j'ai une gueule de bois infernale.

> **– You were wrecked last night!**
> Tu étais dans les vapes hier soir !
> **– I know, and now I'm hungover.** (Am., Brit.) **/
> I know, and now I'm not the full shilling.** (Brit.)
> Je sais, et maintenant j'ai la gueule de bois./
> Je sais, et maintenant je ne suis pas vraiment à 100%.
> *Le shilling était une ancienne monnaie
> britannique, de la valeur de 5 pence.*

T'as une clope ?

Taxer une clope, demader du feu, etc. Tout ce qu'il faut savoir pour fumer en anglais :

Can I bum a…?	Tu peux me filer un(e)… ?
smoke	taffe
stog	clope

À prononcer avec un "o" long.

cig (Am.) / **ciggie** (Brit.)	cibiche
fag (Brit.)	clope

Do you mind if I smoke? / Do you mind if I have a stog?
Ca te dérange si je fume / si je m'en grille une ?

Got a light? T'as du feu ?

Sam's a chain smoker. / Sam smokes like a chimney.
Sam est un gros fumeur. / Sam fume comme un pompier.

I'm trying to quit. / I'm trying to stop.
J'essaie d'arrêter.

Pour les initiés

Les fumeurs n'ont pas la vie facile aux États-Unis. On peut acheter des cigarettes à partir de 18 ans et fumer est interdit dans presque tous les lieux publics. La plupart des restaurants ont soit un espace non-fumeur, soit sont entièrement non-fumeur. Dans l'état de New York il est interdit par la loi de fumer dans tous les bâtiments publics, restaurants, bars et discothèques – et d'autres états américains voudraient adopter la même loi. Dans le doute, et ne voyant personne déjà en train de fumer ni de panneau "smoking permitted", mieux vaut s'abstenir de s'en allumer une États-Unis…

La Grande Bretagne est moins sévère en la matière et on peut, en rentrant dans un pub, se retrouver dans un gros nuage de fumée. Cependant, il est de plus en plus souvent interdit de fumer dans les bâtiments publics et le gouvernement continue d'augmenter progressivement les taxes sur le tabac.

T'as fumé la moquette ?...

Personne ne prend de drogues, mais tout le monde en parle... :

She's such a druggie (Am., Brit.)
C'est une vraie camée / toxico.

He's a total pothead. / He's a total stoner.
C'est un fumeur / rouleur / shitman chronique.

That guy is always smoking up. (Am.) /
That guy is always skinning up. (Brit.)
Ce type est toujours en train de rouler un joint.

He does drugs.
Il prend des drogues.

NON CENSURÉ

Du « shit », de la « beu », etc. Comment ça s'appelle en anglais ?

I don't smoke...	J'fume pas de / d'...
weed.	foin.
dope.	dope.
pot.	shit.
grass.	herbe.
skunk.	kif.
doobee.	chiendent.

Someone was smoking a joint at the party.
Quelqu'un fumait un joint à la fête.

Some people at the club were trying to sell X (Am.) **/ E.** (Brit.)
Il y avait des gens qui vendaient de l'ecsta dans la boîte.

I would never drop acid.
Je ne goberai jamais de l'acide.

– Hey, that girl is selling X (Am.) **/ E.** (Brit.)
Hey, cette nana vend de l'ecsta.
– Forget it. I don't do drugs.
Laisse tomber, j'prends pas de drogues.

Les petits hommes bleus...

Expression à connaître, même s'il n'y a aucune raison de devoir les utiliser un jour…!

Here come the cops (Am., Brit.) **/ feds** (Brit.) **/ federalis!** (Brit.)
Les flics!
Les Britanniques ont de nombreuses variantes régionales pour désigner la police, on dira ainsi, par exemple "bobby" en Angleterre et "pig" ou "polis" à Glasgow.

Uh-oh, we've got five-oh. (Am.)
Attention, les keufs arrivent.

I got a ticket for…	J'ai eu un PV pour…
speeding.	excès de vitesse.
running a red light.	avoir grillé un feu rouge.
rolling through a stop sign. (Am.) /	
going through a stop sign. (Brit.)	avoir grillé un panneau de stop.

Eric got a DWI. (Am.) **/ Eric got caught drink driving.** (Brit.) **/
Eric got caught under the influence.** (Brit.)
Eric s'est fait arrêter pour conduite en état d'ivresse.
"DWI" est l'abréviation de "driving while intoxicated" («conduite en état d'ivresse»).

Hillary got busted (Am.) **/ done** (Brit.) **for driving without a license.**
Hillary s'est fait pincer pour avoir roulé sans permis.

13 Loisirs

M usique, ciné, télé ou comment :

* Avoir les expressions cools pour pour parler de musiques cools,
* Parler en pro de la dernière technologie (hi-fi, vidéo, etc.),
* Décrypter les télés américaines et britanniques en V.O.

Musique cool

T'écoute quoi comme musique ?

I love…	Je kiffe…
pop.	la pop.
alternative.	le rock alternatif.
indie rock (Am.) / **indie.** (Brit.)	le rock indé(pendant).
hip-hop.	le hip-hop.
metal.	le métal.
punk.	le punk.
rap.	le rap.
house music.	la house
techno.	la techno.
reggae	le reggae.

Those were some greats beats at the party last night
La musique était excellente hier soir

We're going to the White Stripes gig tomorrow.
Nous allons au concert des White Stripes demain

The show last night really rocked. (Am., Brit.) /
The show last night was really happening. (Brit.)
Ils ont vraiment assuré sur scène hier soir. /
Le concert d'hier soir était vraiment génial.

I like to drive with the music blaring (Am., Brit.) / **pumping.** (Brit.)
J'aime bien rouler avec la musique à fond.

Turn it up! (Am., Brit.) / **Pump up the tunes!** (Brit.)
Met la musique plus fort !

DANS LES FAITS

Pour connaître les groupes de musique et les chansons les plus branchés du moment, il faut écouter soit les "Billboard Music Charts" aux États-Unis, soit le "Top 40" en Grande Bretagne. Les tubes qui se vendent le plus et qui passent le plus souvent à la radio rentrent dans les "Billboard Music Charts". En revanche, dans le "Top 40" de la BBC, seul importe le nombre de singles vendus.

chapitre 13

Le bon matos

Tout ce qui faut pour écouter de la bonne musique :

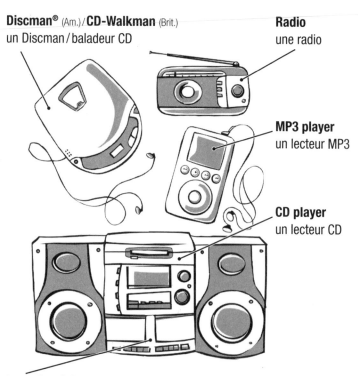

Discman® (Am.) / **CD-Walkman** (Brit.)
un Discman / baladeur CD

Radio
une radio

MP3 player
un lecteur MP3

CD player
un lecteur CD

boom box / ghetto blaster
un ghettoblaster

La mode du "ghetto blaster", le gros appareil stéréo porté sur l'épaule, est aujourd'hui passée. Son origine se situe dans les ghettos noirs des grandes villes américaines et il est synonyme de musique hip-hop ou rap. Avec une pointe d'humour, on peut encore utiliser ce terme aux États-Unis, mais en Grande-Bretagne, mieux vaut l'éviter, c'est définitivement "out".

Ciné / Télé

La langue du show-biz…

I like to watch…	J'aime regarder…
soap operas / soaps.	des feuilletons
cartoons.	des dessins animés
reality TV.	des émissions de télé réalité
talk shows.	des talk-shows / émissions-débat
sitcoms.	sitcoms

I just want to sit in front of the tube tonight. (Am.)
Je veux juste glander devant la téloche ce soir.

La télévison s'appelle aussi "boob tube" aux États-Unis.
"Tube" (le « tube ») vient des anciennes télévisions, qui avaient
effectivement la forme d'un tube, et "boob" signifie « idiot ».
Attention ! En Grande-Bretagne, un "boob tube" fait partie
de la gare-robe des filles, c'est un bustier (un « tube à lolos ») !

Let's watch some telly. / Let's watch the box. (Brit.)
Regardons un peu la télé.

Do you have a "TV Guide"? (Am.) **Do you have the TV listings?** (Brit.)
Est-ce que t'as le journal télé ?

"TV Guide" est le nom d'un journal TV aux États-Unis.
Le nom est devenu générique et peut aussi bien s'appliquer
à tous les journaux TV.

Where's the remote (Am., Brit.) **/ clicker** (Am.) **channel changer** (Brit.) **/ doofer?** (Brit.)
Elle est où la télécommande ?

"Doofer" désigne tous les types de télécommande,
pas seulement celle de la télé.

You have cable, right?   T'as le câble, non ?

Le câble est certes cher aux États-Unis, mais il propose
plus d'une centaine de chaînes. Le choix est plus restreint
en Grande-Bretagne.

What's on pay-per-view?
Qu'est-ce qu'il y a à voir sur la télé à la carte ?
Il s'agit de chaînes de télévision sur lesquelles on paie
à l'émission regardée.

Let's rent a movie (Am.) / film (Brit.) / DVD.
Louons un film / un DVD.

We just got Skye. (Brit.)
On vient d'installer Skype.

Do you have TiVo™?
Tu as TiVo™ ?
Technologie toute nouvelle aux Etats-Unis, il s'agit des lecteurs
digitaux grâce auxquels on peut enregistrer, sur des disques,
prêt de 40 heures de programme, en sautant les publicités

Jill just got Netflix™. (Am.)
Jill vient de s'abonner à Netflix™.
Netflix™ est très populaire aux Etats-Unis : contre
un abonnement, on peut louer jusqu'à 3 films DVD, envoyés
directement chez soi, avec un délai pour le renvoi des DVD
suffisamment long pour ne pas se stresser… !

Jack has Freeview. (Brit.)
Jack a Freeview chez lui.
La "Freeview-Box" est un peu l'équivalent de notre
« TNT » en France, avec un choix d'environ 30 programmes.

I like…	J'aime…
comedies.	les comédies.
action movies (Am.) / action films. (Brit.)	les films d'action.
horror movies (Am.) / horror films. (Brit.)	les films d'horreur.
dramas.	les films dramatiques.
spy movies (Am.) / spy films. (Brit.)	les films d'espionnage.
chick flicks.	films de filles.
kung-fu movies.	les films de kung-fu.

I like…	J'aime…
art-house films. (Brit.)	les films d'auteur.
foreign films.	les films étrangers.

Les films américains ne sont pas considérés comme films étrangers en Grande-Bretagne, du fait de la langue.

This is supposed to be the big summer blockbuster (Am., Brit.) **/ hit.** (Brit.)

Il paraît que c'est la superproduction de l'été. / le grand succès commercial de l'été.

Two thumbs up. / Five stars. / Ten out of ten.

Chapeau ! / Cinq étoiles ! / Vingt sur vingt !

Expressions typiques des critiques de cinéma américains et britanniques.

Is it subtitled?

Il y a des sous-titres ?

Pour les initiés

Vous voulez savoir ce qui est à la mode au ciné, à la télé et en musique ? Campez-vous devant la télé et regardez la remise des prix : il y en a de nombreux aux Etats-Unis tout au long de l'année, pour le cinéma, la musique, le théâtre, etc. Pour les films, ce sont bien sûr les fameux "Oscars" ou les "Academy Awards", pour tout ce qui est télé ce sont les "Emmy Awards". Les "Emmys" sont destinés aux acteurs, scénaristes, costumiers et même aux publicités. Pour la musique les "Grammys" récompensent les meilleurs artistes dans à peu près toutes les catégories. Les tubes les plus récents sont aux "Billboard Music Awards", aux "MTV Music Awards" et aux "VH1 Music Awards". En ce qui concerne le théâtre, il ne faut pas rater les "Tonys". En Grande Bretagne, les "Baftas", les "Oscars" britanniques, sont une récompense très prisée. Leur attribution est faite par la "British Academy of Film and Television Arts" pour les meilleures prestations au cinéma, à la télévision et autres médias interactifs.

*A*ttention à bien décrypter le langage des gestes avec lequel on peut en dire autant qu'avec des mots ! Voici une sélection des gestes les plus courants :

Complètement taré(e) ! / Il / Elle débloque !

Geste à utiliser de façon plutôt discrète pour se moquer d'une personne dans son dos... Ou de façon plus ouverte pour montrer à tout le monde à quel point on trouve telle ou telle personne ou chose complètement à côté de la plaque.

" ... "

« Soit disant » à utiliser quand quelque chose paraît louche, par exemple : « Il était "soi-disant" malade ».

Complètement nul(le) ! / Naze !

Le bon geste quand quelqu'un se révèle être un(e) vrai(e) nulle.

Il / Elle a fumé (un joint) !

Au sens propre comme au sens figuré,
quand une personne semble être sur
une autre planète !

Va te faire foutre !

L'expression originelle est "Kiss my ass" (« embrasse-moi
les fesses »), d'où le geste. Pour bien le faire, toucher d'abord
ses fesses avec deux doigts, puis pointer ces deux doigts sur
la personne qui est la source de l'agacement… Il ou elle va
comprendre tout de suite !

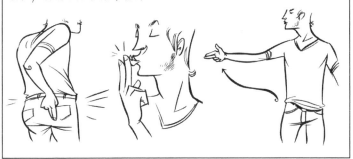

Il / Elle se branle. / T'es un branleur! / C'est de la branlette !

Ce geste peut avoir une signification
très directe — alors le mouvement de la main
dit tout — ou peut signifier, au sens figuré,
qu'une personne est décidément trop pénible
ou fait n'importe quoi.

chapitre 14

Je te veux. / J'ai envie de toi. 🥕

Se passer la langue sur la lèvre supérieure et accompagner le geste d'une expression de désir, d'un regard langoureux. Mais attention, le geste est très clair et il faut être sûr de soi! N'est habituellement utilisé que par les filles, mais les garçons peuvent aussi en user.

Va te faire foutre / enculer ! 🥕

Le geste international pour signifier très directement à quelqu'un qu'il tape vraiment sur les nerfs — Le geste s'accompagne très souvent d'un "Fuck you!" ou d'un "Up yours!".

Casse-toi ! / Va te faire foutre ! (Brit.) 🥕

Ce geste tirerait ses origines de la bataille d'Agincourt en 1415, lorsque les archers anglais, qui bandaient leurs arcs avec l'index et le majeur, brandissaient crânement ces deux doigts face à l'ennemi (les Français!) pour les narguer. En effet, la peine encourue, s'ils étaient capturés, consistait à avoir l'index et le majeur tranché afin de ne plus pourvoir tirer à l'arc… Légende ou vérité historique?